Gulliver Taschenbuch 44

Dagmar Matten-Gohdes, geboren 1939 in Pommern, ist in Duisburg aufgewachsen. Sie arbeitet seit vielen Jahren als Lehrerin an einer Schule. Nebst verschiedenen Aufsätzen für Zeitungen und Zeitschriften schrieb sie auch Kindertheaterstücke.

Marie Marcks, geboren 1922 in Berlin, lebt als freie Cartoonistin und Künstlerin in Heidelberg. Sie illustrierte u. a. Kinderbücher, veröffentlichte Comicgeschichten und wurde vor allem durch ihre gesellschaftskritischen Cartoons bekannt, die inzwischen in verschiedenen Sammelbänden in Buchform vorliegen. Bei Beltz & Gelberg erschien von Marie Marcks die Minibuch-Kassette *Kleine Menschenbücher.*

Goethe ist gut

Ein Goethe-Lesebuch für Kinder
ausgestattet und bebildert
mit Schattenrissen, Scherenschnitten, Stichen
und anderen zeitgenössischen Bildern
mit Erklärungen versehen und herausgegeben
von Dagmar Matten-Gohdes
Mit Zeichnungen von Marie Marcks

Im Anhang:
Wie wertvoll ist eine Goethe-Locke?

Gulliver Taschenbuch 44

Programm Beltz & Gelberg, Weinheim

Reihenlayout und Einband von Wolfgang Rudelius
Gesamtherstellung Druckhaus Beltz, 69494 Hemsbach
Printed in Germany
ISBN 3 407 78044 3
7 8 9 98 97 96

VORWORT

Ein Fernseh-Spaßmacher sang vor einiger Zeit dieses Lied:

> Goethe war gut.
> Mann, der konnte reimen!
> Wenn ich es versuch,
> schwitz ich Wasser und Blut,
> und ich merk jedesmal:
> Goethe war gut!

Ein Lied, das Spaß machte. Darum sangen es ihm viele Kinder nach. Besonders gut fanden sie die Zeile »Mann, der konnte reimen!« Vielleicht, weil die Zeile so locker und übermütig und ein bißchen frech ist. Und sie ist wahr! Denn das kann man von dem Dichter Johann Wolfgang Goethe wirklich behaupten, daß er gut reimen – oder sagen wir gleich: daß er mit der Sprache gut umgehen konnte.
Mit der Sprache gut umgehen können muß ein Dichter. Was ist das überhaupt – ein Dichter? Du weißt, es arbeitet jeder Künstler mit einem bestimmten Material. Der Maler mit Farben, der Bildhauer mit Stein und Holz und Ton. Das Material des Dichters ist die Sprache. Der Dichter formt mit der Sprache Dinge, die es vorher nicht gab: ein Gedicht, ein Märchen, eine Erzählung, eine Fabel, ein Hörspiel, einen Roman. Was er macht, kann gut oder schlecht sein. Es kann sehr aufregend, sehr spaßig und sehr schön sein. Im besten Fall ist das, was er mit der Sprache macht, neu und packend und aufregend.

> Erhabner Großpapa! Ein neues Jahr erscheint,
> Drum muß ich meine Pflicht und Schuldigkeit entrichten,
> Die Ehrfurcht heißt mich hier aus reinem Herzen dichten.
> So schlecht es aber ist, so gut ist es gemeint.

Dies sind die ersten Zeilen eines Gedichts, das Goethe zum Neujahrstag 1757 für seinen Großvater schrieb, um ihm seine »Pflicht und Schuldigkeit« zu entrichten. Da war Goethe ein kleiner Junge von sieben Jahren, und die Mutter mag zu ihm gesagt haben: »Du, Wolfgang, wie wäre es, wenn du für den Großpapa ein Gedicht versuchen würdest?« Es ist ein braves, ein »gut gemeintes«, aber kein gutes Gedicht, nicht wahr? Den Großvater wird's gefreut haben!

VORWORT

Als Goethe 21 Jahr alt war und vom Frühling 1770 bis zum Sommer 1771 an der Universität Straßburg studierte, lernte er in dem kleinen Dorf Sesenheim, nahe Straßburg, ein Mädchen kennen, Friederike Brion, das er sehr lieb hatte. Während dieser Zeit hörte er irgendwo im elsässischen Land eine alte Frau ein Lied singen, das ihm gefiel – ein Volkslied, könnte man sagen. Genau weiß man nicht, ob es so war. Vielleicht hat auch sein Freund Herder ihn auf das Lied aufmerksam gemacht. Aber das ist nicht so wichtig. Hauptsache, Goethe hörte das Lied. Er hat daraus ein Gedicht gemacht:

> Sah ein Knab' ein Röslein stehn,
> Röslein auf der Heiden,
> War so jung und morgenschön,
> Lief er schnell, es nah zu sehn,
> Sah's mit vielen Freuden.
> Röslein, Röslein, Röslein rot,
> Röslein auf der Heiden.

Gefällt es dir? Hast du es schon gekannt? Hast du es schon mal im Radio oder auf einer Schallplatte gehört? Es klingt sehr schön, wenn ein guter Chor es singt. Wenn du es aufmerksam liest, merkst du, daß es von der Liebe eines Jungen zu einem Mädchen handelt.

Alles was ein Dichter mit der Sprache neu schafft, hat mit ihm selbst zu tun. Er schreibt auf, was ihn freut und was ihn bedrängt. Er schreibt auf, was ihn froh und was ihn traurig macht – und was er gelernt und erfahren hat. Wenn wir es lesen, können wir seine Freude, seine Traurigkeit teilen.

Manche Leute, die man nach dem Dichter Johann Wolfgang Goethe fragt, sagen: »Goethe? Wer ist das? Kennen wir nicht!« Oder sie sagen: »Ist das der, nach dem die Goethe-Straße benannt ist?« Wenn man ihnen aber sagt: »Er hat das Gedicht vom Heideröslein geschrieben und die Erzählgedichte ›Erlkönig‹ und ›Der Zauberlehrling‹ und das schönste Gedicht, das in deutscher Sprache über den Mond geschrieben wurde«, – dann sagen diese Leute: »Das Gedicht vom Heideröslein? Das ist von Goethe?« Leute, die gern ins Theater gehen, wissen, daß Goethe aus dem alten Puppenspiel vom »Doktor Faustus«, der seine Seele dem Teufel verkaufte, ein großes und aufregendes Stück fürs Theater gemacht hat.

Zweierlei noch. Erstens: Der Dichter Johann Wolfgang Goethe starb am 22. März 1832. Seine Gedichte und Prosatexte wurden also vor mehr als

hundert Jahren geschrieben. Während einer so langen Zeit haben viele Wörter ihren Sinn verändert. Manche Wörter werden heute auch gar nicht mehr benutzt. Das ist aber nichts Besonderes. Denn Sprache ist etwas Lebendiges. Unsere Großeltern haben anders gesprochen als wir. Fortwährend werden Wörter vergessen und dafür neue gefunden. Das wird immer so sein.

Zweitens: Goethe hat eigentlich nichts von dem, was du in diesem Buch liest, für Kinder geschrieben. Auch das ist nichts Besonderes. Auch »Gullivers Reisen« und »Robinson Crusoe« und »Die Schatzinsel« und »Münchhausens Wunderbare Reisen« wurden nicht für Kinder geschrieben – und werden doch von Kindern gelesen.

Goethe.

Ein paar Gedichte von Goethe stehen auch heute noch in den Schullesebüchern, aber lange Balladen muß man nicht mehr auswendig lernen, und es ist auch keine Schande, wenn die Kinder heutzutage nicht mehr wissen, wer das denn eigentlich war, dieser Goethe, der so gut reimen konnte!

VORWORT

Hättest du bessere Antworten gewußt auf diese Frage als die Kinder der dritten und vierten Klasse, die aufgeschrieben haben, was ihnen zu »Goethe« einfiel? Hier sind ein paar Beispiele:

Ich weiß nichts über Goethe.
Es ist ein Lied.
Daß man ihn als Gipsfigur kaufen kann, er hat meistens einen Bart und graue Haare.
Er dichtet selbst Lieder und singt sie dann. Er singt: Goethe war gut, Mann, der konnte reimen.
Ich weiß, daß Goethe ein berühmter Dichter war. Er ist jetzt auf der Platte von Monopoli als Straße abgebildet.
Er war vielleicht ein Dichter.
Goethe war ein Sänger. Er kommt manchmal im Fernsehen. So, nun weiß ich nichts mehr.
Er konnte vermutlich reimen.
Fußballspieler.
Goethe steht im Lexikon und hat Lieder geschrieben.
Goethe ist tot. Er schrieb Opern und wird von Rudi Carell besungen.
Meine Eltern haben Gedichte, und ich habe im Fernsehen davon gehört.
Er war ein Schauspieler und ist tot.
Beim Rudi Carell hat er ein Lied gesungen und ich kenne ihn von Dalli Dalli.
Ich habe einen Goethekopf aus Gips gesehen, es gibt ein Goethehaus und ein Goethe-Museum.
Goethe: Komponist, Geige gespielt, Opernsänger.
Goethe war gut, und da gab sie ihm einen heißen Kaffee, und da kamen Kinder am laufenden Band.
Er war ein Mann, der Geschichten schrieb. Auf Briefmarken ist er drauf.
Goethe konnte reimen, ja, der war stark!

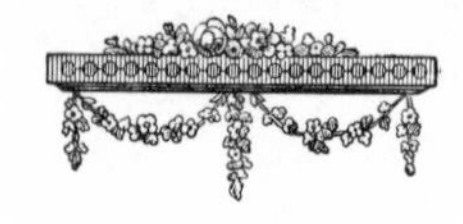

Frankfurt von der Südost-Seite.

Am 28. August 1749 kam Goethe in Frankfurt zur Welt.
Wie müssen wir uns die Stadt von damals, die noch von einer Stadtmauer umgeben war, vorstellen? Denke dir die Vororte, die Hochhäuser und all die anderen modernen Gebäude weg, stelle dir die holprigen Pflasterstraßen ohne Autos und Straßenbahnen vor, dafür voller Kutschen und Wagen, von Pferden gezogen oder von Ochsen, wenn die Bauern ihre Waren in die Stadt brachten. Auf den schmutzigen Straßen mußten die Frauen ihre langen, weiten Röcke hochraffen, die kleinen Mädchen ebenfalls, denn damals steckte man die Kinder ja noch in unbequeme Erwachsenenkleidung – sogar Perücken trugen sie, wie die Erwachsenen, zu besonderen Anlässen. Wie kleine Erwachsene sahen sie aus. Johann Wolfgang genau wie alle anderen.
Das Schlittschuhlaufen im Winter wurde zu der Zeit große Mode, Goethe soll es besonders gut gekonnt haben, aber Fahrradfahren konnte man noch nicht, das war noch nicht erfun-

den. Die Buchdruckkunst gab es aber schon, sonst wäre uns von Goethe ja nicht so viel erhalten geblieben.

In seinen Lebenserinnerungen, die den Titel »Dichtung und Wahrheit« tragen, erzählt er auch aus seiner Kindheit:

Am 28. August 1749, mittags mit dem Glockenschlage zwölf, kam ich in Frankfurt am Main auf die Welt... Durch Ungeschicklichkeit der Hebamme kam ich für tot auf die Welt, und nur durch vielfache Bemühungen brachte man es dahin, daß ich das Licht erblickte.
Dieser Umstand, welcher die Meinigen in große Not versetzt hatte, gereichte jedoch meinen Mitbürgern zum Vorteil, indem mein Großvater, der Schultheiß Johann Wolfgang Textor, daher Anlaß nahm, daß ein Geburtshelfer angestellt und der Hebammen-Unterricht eingeführt oder erneuert wurde; welches denn manchem der Nachgeborenen mag zugute gekommen sein.
Leider starben früher sehr viele Kinder bei der Geburt oder in den ersten Kinderjahren; auch Goethe verlor mehrere Geschwister.

Wenn man sich erinnern will, was uns in der frühesten Zeit der Jugend begegnet ist, so kommt man oft in den Fall, dasjenige, was wir von andern gehört, mit dem zu verwechseln, was wir wirklich aus eigner anschauender Erfahrung besitzen. Ohne also hierüber eine genaue Untersuchung anzustellen, welche ohnehin zu nichts führen kann, bin ich mir bewußt, daß wir in einem alten Hause wohnten, welches eigentlich aus zwei durchgebrochenen Häusern bestand. Eine turmartige Treppe führte zu unzusammenhangenden Zimmern, und die Ungleichheit der Stockwerke war durch Stufen ausgeglichen.

Für uns Kinder, eine jüngere Schwester und mich, war die untere weitläufige Hausflur der liebste Raum, welche neben der Türe ein großes hölzernes Gitterwerk hatte, wodurch man unmittelbar mit der Straße und der freien Luft in Verbindung

kam. Einen solchen Vogelbauer, mit dem viele Häuser versehen waren, nannte man ein Geräms. Die Frauen saßen darin, um zu nähen und zu stricken; die Köchin las ihren Salat; die Nachbarinnen besprachen sich von daher miteinander, und die Straßen gewannen dadurch in der guten Jahreszeit ein südliches Ausehen. Man fühlte sich frei, indem man mit der Öffentlichkeit vertraut war. So kamen auch durch diese Gerämse die Kinder mit den Nachbarn in Verbindung, und mich gewannen drei gegenüber wohnende Brüder von Ochsenstein, hinter-

lassene Söhne der verstorbenen Schultheißen, gar lieb, und beschäftigten und neckten sich mit mir auf mancherlei Weise. Die Meinigen erzählten gern allerlei Eulenspiegeleien, zu denen mich jene sonst ernsten und einsamen Männer angereizt. Ich führe nur einen von diesen Streichen an. Es war eben Topfmarkt gewesen, und man hatte nicht allein die Küche für die nächste Zeit mit solchen Waren versorgt, sondern auch uns Kindern dergleichen Geschirr im kleinen zu spielender Beschäftigung eingekauft. An einem schönen Nachmittag, da alles ruhig im Hause war, trieb ich im Geräms mit meinen Schüsseln und Töpfen mein Wesen, und da weiter nichts dabei herauskommen wollte, warf ich ein Geschirr auf die Straße und freute mich, daß es so lustig zerbrach. Die von Ochsenstein,

welche sahen, wie ich mich daran ergetzte, daß ich so gar fröhlich in die Händchen patschte, riefen: »Noch mehr!« Ich säumte nicht, sogleich einen Topf, und auf immer fortwährendes Rufen: »Noch mehr!« nach und nach sämtliche Schüsselchen, Tiegelchen, Kännchen gegen das Pflaster zu schleudern. Meine Nachbarn fuhren fort, ihren Beifall zu bezeigen, und ich war höchlich froh, ihnen Vergnügen zu machen. Mein Vor-

rat aber war aufgezehrt, und sie riefen immer: »Noch mehr!« Ich eilte daher stracks in die Küche und holte die irdenen Teller, welche nun freilich im Zerbrechen noch ein lustigeres Schauspiel gaben; und so lief ich hin und wider, brachte einen Teller nach dem andern, wie ich sie auf dem Topfbrett der Reihe nach erreichen konnte, und weil sich jene gar nicht zufrieden gaben, so stürzte ich alles, was ich von Geschirr erschleppen konnte, in gleiches Verderben. Nur später erschien jemand, zu hindern und zu wehren. Das Unglück war geschehen, und man hatte für so viel zerbrochene Töpferware wenigstens eine lustige Geschichte, an der sich besonders die schalkischen Urheber bis an ihr Lebensende ergetzten.

Die alte, winkelhafte, an vielen Stellen düstere Beschaffenheit des Hauses war übrigens geeignet, Schauer und Furcht in kindlichen Gemütern zu erwecken. Unglücklicherweise hatte man noch die Erziehungsmaxime, den Kindern frühzeitig alle Furcht vor dem Ahndungsvollen und Unsichtbaren zu benehmen und sie an das Schauderhafte zu gewöhnen.

Wir Kinder sollten daher allein schlafen, und wenn uns dieses unmöglich fiel, und wir uns sacht aus den Betten hervormachten und die Gesellschaft der Bedienten und Mägde suchten, so stellte sich, in umgewandtem Schlafrock und also für uns verkleidet genug, der Vater in den Weg und schreckte uns in unsere Ruhestätte zurück. Die daraus entspringende üble Wirkung denkt sich jedermann. Wie soll derjenige die Furcht los werden, den man zwischen ein doppeltes Furchtbare einklemmt? Meine Mutter, stets heiter und froh, und andern das gleiche gönnend, erfand eine bessere pädagogische Auskunft. Sie wußte ihren Zweck durch Belohnungen zu erreichen. Es war die Zeit der Pfirschen, deren reichlichen Genuß sie uns jeden Morgen versprach, wenn wir nachts die Furcht überwunden hätten. Es gelang, und beide Teile waren zufrieden.

Gewöhnlich hielten wir uns in allen unsern Freistunden zur Großmutter, in deren geräumigen Wohnzimmer wir hinlänglich Platz zu unsern Spielen fanden. Sie wußte uns mit allerlei Kleinigkeiten zu beschäftigen, und mit allerlei guten Bissen zu erquicken. An einem Weihnachtsabende jedoch setzte sie allen ihren Wohltaten die Krone auf, indem sie uns ein Puppenspiel

Puppenspiel aus Goethes Besitz.

vorstellen ließ, und so in dem alten Hause eine neue Welt erschuf. Dieses unerwartete Schauspiel zog die jungen Gemüter mit Gewalt an sich; besonders auf den Knaben machte es einen sehr starken Eindruck, der in eine große langdauernde Wirkung nachklang.

Wir hatten die Straße, in welcher unser Haus lag, den Hirschgraben nennen hören; da wir aber weder Graben noch Hirsche sahen, so wollten wir diesen Ausdruck erklärt wissen. Man erzählte sodann, unser Haus stehe auf einem Raum, der sonst außerhalb der Stadt gelegen, und da, wo jetzt die Straße sich befinde, sei ehmals ein Graben gewesen, in welchem eine An-

zahl Hirsche unterhalten worden. Man habe diese Tiere hier bewahrt und genährt, weil nach einem alten Herkommen der Senat alle Jahre einen Hirsch öffentlich verspeiset, den man denn für einen solchen Festtag hier im Graben immer zur Hand gehabt, wenn auch auswärts Fürsten und Ritter der Stadt ihre Jagdbefugnis verkümmerten und störten, oder wohl gar Feinde die Stadt eingeschlossen oder belagert hielten. Dies gefiel uns sehr, und wir wünschten, eine solche zahme Wildbahn wäre auch bei unseren Zeiten zu sehen gewesen...
Solange die Großmutter lebte, hatte mein Vater sich gehütet, nur das mindeste im Hause zu verändern oder zu erneuern;

Das Geburtshaus vor dem Umbau.

aber man wußte wohl, daß er sich zu einem Hauptbau vorbereitete, der nunmehr auch sogleich vorgenommen wurde...
Da nun also das Einreißen und Aufrichten allmählich geschah, so hatte mein Vater sich vorgenommen, nicht aus dem Hause zu weichen, um desto besser die Aufsicht zu führen und die Anleitung geben zu können: denn aufs Technische des Baues verstand er sich ganz gut; dabei wollte er aber auch seine Familie nicht von sich lassen. Diese neue Epoche war den Kindern sehr überraschend und sonderbar. Die Zimmer, in denen man sie oft enge genug gehalten und mit wenig erfreulichem Lernen und Arbeiten geängstigt, die Gänge, auf denen sie gespielt, die Wände, für deren Reinlichkeit und Erhaltung man

Das Geburtshaus nach dem Umbau von 1755.

sonst so sehr gesorgt, alles das vor der Hacke des Maurers, vor dem Beile des Zimmermanns fallen zu sehen, und zwar von unten herauf, und indessen oben auf unterstützten Balken gleichsam in der Luft zu schweben, und dabei immer noch zu einer gewissen Lektion, zu einer bestimmten Arbeit angehalten zu werden – dieses alles brachte eine Verwirrung in den jungen Köpfen hervor, die sich so leicht nicht wieder ins gleiche setzen ließ. Doch wurde die Unbequemlichkeit von der Jugend weniger empfunden, weil ihr etwas mehr Spielraum als bisher und manche Gelegenheit, sich auf Balken zu schaukeln und auf Brettern zu schwingen, gelassen ward.
Hartnäckig setzte der Vater in der ersten Zeit seinen Plan durch; doch als zuletzt auch das Dach teilweise abgetragen wurde, und ungeachtet alles übergespannten Wachstuches von abgenommenen Tapeten, der Regen bis zu unsern Betten gelangte: so entschloß er sich, obgleich ungern, die Kinder wohlwollenden Freunden, welche sich schon früher dazu erboten hatten, auf eine Zeitlang zu überlassen und sie in eine öffentliche Schule zu schicken.

Johann Wolfgang und seine Schwester Cornelia hatten fast ausschließlich Unterricht bei Privatlehrern. In den ersten Schuljahren war es sogar der Vater, der sie unterrichtete.

Goethe erzählt:
Es ist ein frommer Wunsch aller Väter, das, was ihnen selbst abgegangen, an den Söhnen realisiert zu sehen, so ungefähr, als wenn man zum zweitenmal lebte und die Erfahrungen des ersten Lebenslaufes nun erst recht nutzen wollte. Im Gefühl seiner Kenntnisse, in Gewißheit einer treuen Ausdauer, und im Mißtrauen gegen die damaligen Lehrer nahm der Vater sich vor, seine Kinder selbst zu unterrichten, und nur so viel, als

nötig schien, einzelne Stunden durch eigentliche Lehrmeister zu besetzen...
Privatstunden, welche sich nach und nach vermehrten, teilte ich mit Nachbarskindern. Dieser gemeinsame Unterricht förderte mich nicht; die Lehrer gingen ihren Schlendrian, und die Unarten, ja manchmal die Bösartigkeiten meiner Gesellen brachten Unruh, Verdruß und Störung in die kärglichen Lehrstunden...

Der Lehrer war eine Stunde nicht gekommen; solange wir Kinder alle beisammen waren, unterhielten wir uns recht artig; als aber die mir wohlwollenden, nachdem sie lange genug gewartet, hinweggingen, und ich mit drei mißwollenden allein blieb, so dachten diese mich zu quälen, zu beschämen und zu vertreiben.
Sie hatten mich einen Augenblick im Zimmer verlassen und kamen mit Ruten zurück, die sie sich aus einen geschwind zerschnittenen Besen verschafft hatten. Ich merkte ihre Absicht, und weil ich das Ende der Stunde nahe glaubte, so setzte ich aus dem Stegreife bei mir fest, mich bis zum Glockenschlage nicht zu wehren. Sie fingen darauf unbarmherzig an, mir die Beine und Waden auf das grausamste zu peitschen. Ich rührte mich nicht, fühlte aber bald, daß ich mich verrechnet hatte und daß ein solcher Schmerz die Minuten sehr verlängert. Mit der Duldung wuchs meine Wut, und mit dem ersten Stundenschlag fuhr ich dem einen, der sich's am wenigsten versah, mit der Hand in die Nackenhaare und stürzte ihn augenblicklich zu Boden, indem ich mit dem Knie seinen Rücken drückte; den andern, einen jüngeren und schwächeren, der mich von hinten anfiel, zog ich bei dem Kopfe durch den Arm und erdrosselte ihn fast, indem ich ihn an mich preßte. Nun war der letzte noch übrig und nicht der schwächste, und mir blieb nur

die linke Hand zu meiner Verteidigung. Allein ich ergriff ihn beim Kleide, und durch eine geschickte Wendung von meiner Seite, durch eine übereilte von seiner, brachte ich ihn nieder und stieß ihn mit dem Gesicht gegen den Boden. Sie ließen es nicht an Beißen, Kratzen und Treten fehlen; aber ich hatte nur meine Rache im Sinn und in den Gliedern. In dem Vorteil, in dem ich mich befand, stieß ich sie wiederholt mit den Köpfen zusammen. Sie erhuben zuletzt ein entsetzliches Zetergeschrei, und wir sahen uns bald von allen Hausgenossen umgeben. Die umhergestreunten Ruten und meine Beine, die ich von den Strümpfen entblößte, zeugten bald für mich. Man behielt sich

die Strafe vor und ließ mich aus dem Hause; ich erklärte aber, daß ich künftig, bei der geringsten Beleidigung, einem oder dem andern die Augen auskratzen, die Ohren abreißen, wo nicht gar ihn erdrosseln würde.

Die gemeinsamen Unterrichtsstunden wurden wieder seltener und hörten zuletzt ganz auf. Ich war also wie vorher mehr ins Haus gebannt, wo ich an meiner Schwester Cornelia, die nur ein Jahr weniger zählte als ich, eine an Annehmlichkeit immer wachsende Gesellschafterin fand.

Cornelia las er auch als erster seine Gedichte vor. Die beiden folgenden schrieb er, als er sieben und zehn Jahre alt war:

Bei dem erfreulichen Anbruche des 1757. Jahres
wollte seinen
hochgeehrtesten und herzlichgeliebten
Großeltern
die Gesinnungen kindlicher Hochachtung und
Liebe durch folgende Segenswünsche zu erkennen
geben deroselben treugehorsamster Enkel
Johann Wolfgang Goethe.

Erhabner Großpapa!
Ein Neues Jahr erscheint,
Drum muß ich meine Pflicht und Schuldigkeit entrichten,
Die Ehrfurcht heißt mich hier aus reinem Herzen dichten,
So schlecht es aber ist, so gut ist es gemeint.
Gott, der die Zeit erneut, erneure auch Ihr Glück,
Und kröne Sie dies Jahr mit stetem Wohlergehen;
Ihr Wohlsein müsse lang so fest wie Zedern stehen,
Ihr Tun begleite stets ein günstiges Geschick;
Ihr Haus sei wie bisher des Segens Sammelplatz,
Und lasse Sie noch spät Möninens Ruder führen,
Gesundheit müsse Sie bis an Ihr Ende zieren,
Dann diese ist gewiß der allergrößte Schatz.

Erhabne Großmama!
Des Jahres erster Tag
Erweckt in meiner Brust ein zärtliches Empfinden
Und heißt mich ebenfalls Sie jetzo anzubinden
Mit Versen, die vielleicht kein Kenner lesen mag;
Indessen hören Sie die schlechte Zeilen an,
Indem sie wie mein Wunsch aus wahrer Liebe fließen.
Der Segen müsse sich heut über Sie ergießen,
Der Höchste schütze Sie, wie er bisher getan.

Bei
diesem neuen Jahres Wechsel
überreichet
Seinen
Verehrungswürdigen
Großeltern
dieses Opfer
aus kindlicher Hochachtung
Johann Wolfgang Goethe
den 1. Jenner 1762

Großeltern, da dies Jahr heut seinen Anfang nimmt,
So nehmt auch dieses an, das ich vor Euch bestimmt,
Und ob Apollo schon mir nicht geneigt gewesen,
So würdiget es doch nur einmal durchzulesen.
Ich wünsch aus kindlichem gehorsamen Gemüte
Euch alles Glück und Heil von Gottes Hand und Güte,
Sein guter Engel sei bei Euch in aller Zeit.
Er geb Euch' das Geleit in Widerwärtigkeit
Sowohl als in dem Glück, und laß Euch lang noch leben,
Daß Ihr Urenklen noch den Segen könnet geben;
Dies schreibt der älteste von Eurer Töchter Söhnen,
Um sich auch nach und nach zu denken angewöhnen,
Und zeigt ingleichen hier mit diesen Zeilen an,
Was er dies Jahr hindurch im Schreiben hat getan.
Wenn mich bis übers Jahr die Parzen schonen täten,
Wie gerne wollt' ich denn mit fremder Zunge reden.

Johann Wolfgang erhielt einen gründlichen Schulunterricht. Er lernte Latein und Griechisch, später kamen Französisch, Italienisch und Englisch dazu. Er bekam Mathematik- und Geometrieunterricht und studierte eifrig die vielen Bilder, Landkarten und Reiseberichte aus der Bibliothek seines Vaters. Er lernte leicht und mit Interesse, aber ein Musterschüler war er nicht. Oft erschien ihm der Vater zu streng, besonders

dann, wenn nach Erkrankungen alle versäumten Lektionen nachgeholt werden mußten!
Ein Heft von Schülerarbeiten Goethes ist bis heute erhalten. Darin steht auch dieses vom Vater ausgedachte »Colloquium« (Gespräch), das der neun- oder zehnjährige Johann Wolfgang ins Lateinische übersetzen mußte:

Colloquium
Pater. Filius (Vater. Sohn)

P. Was machst du da, mein Sohn?
F. Ich bilde in Wachs.
P. Das dachte ich: O wann wirst du einmal die Nüsse (Dummheiten) verlassen!
F. Ich spiele ja nicht mit Nüssen, sondern mit Wachs.
P. Unwissender: kann dir wohl unbekannt sein, was hier Nüsse sagen wollen?
F. Jetzo erinnere ich mich: Allein, sehen Sie was ich in kurzer Zeit für ein Wachs-Posierer geworden bin!
P. Jawohl, ein Wachs-Verderber.
F. Ich bitte mirs ab: bringe ich nicht ziemlich artige Sachen zur Welt?
P. Jawohl, zeige einmal, worin deine Mißgeburten bestehen.
F. Unter anderen Tieren habe ich gefertigt: Eine Katze mit einem langen Schnorr-Bart, eine Stadt- und Feldmaus, nach Anleitung des Horaz in einem seiner Strafbriefe, welche Geschichte Drollinger in reine deutsche Knittel-Verse übersetzte.
P. Diese Erinnerung gefällt mir besser als die Tierchen selber: Allein, hast du sonst nichts weiter gemacht, woraus deine angegebene Kunst deutlich hervorleuchte?
F. Jawohl: hier ist noch ein Walfisch, der seinen Rachen auf-

sperrt, als ob er uns verschlingen wollte, und zwei Gemsen, in deren Jagd sich der Kaiser Maximilian so sehr verliebt hatte, daß er aus den steilen Felsen sich nicht wieder finden konnte, bis ihm ein Engel unter der Gestalt eines alten Mannes einen Weg gezeigt haben soll.

P. Du bringst doch deine historischen Kleinigkeiten so ziemlich gut an, worüber man dir die ungestalten Figuren verzeihen muß: Und das ist alles?

F. Keineswegs: denn unter allen von meinen Händen gebildeten Tieren ist vornehmlich zu bewundern: Das falsche Tränen vergießende Krokodil, der ungeheure und in den Kriegen der Alten streitbare Elefant, die menschenfreundliche Eidechse, der quakende und den Frühling anzeigende Frosch, welchen allen nichts als das Leben fehlt.

P. O Wäscher! Wer wird wohl derselben Namen ohne Bleistift erraten können.

F. Wehe mir: ist denn nicht ein jeder der beste Ausleger seiner Werke?

P. Dieser Satz ist zwar an sich richtig, aber er wird am unrechten Ort angebracht.

F. Verzeihen Sie in diesem Stück meine Unwissenheit. Würdigen Sie nur noch, diese Schlittenfahrt in Augenschein zu nehmen. Es sind derer just ein Dutzend und stellen verschiedene, teils kriechende, teils fliegende Tiere vor, unter welchen mir der Schwan, der Hirsch, das Seepferd und der Lindwurm am allerbesten geraten zu sein scheinen.

P. Laß es dir nur immer so scheinen: Man sieht wohl, daß du noch keinen rechten Unterschied zwischen schön und häßlich weißt.

F. Wollen Sie, lieber Vater, so gut sein und mir diesen erlernen.

P. Warum nicht: es muß alles zu seiner Zeit geschehen. Laß nur erst dein Augenmaß etwas älter werden.

F. Ei, Lieber, warum wollen Sie diese Lehre aufschieben: tragen Sie mir solche eher heute als morgen vor, ich will unter meinem Spielwerk die Ohren spitzen.

P. Das kann nicht jetzt, wie gesagt, sondern ein andermal geschehen; lege die Kinder-Possen beiseite und gehe an dein Tagewerk.

F. Ich will gehorchen. Lebe wohl.

Die beiden Geschwister bekamen auch Religionsstunden. Der trockene Unterricht des Pfarrers sagte Johann Wolfgang nicht zu, aber er liebte es, in der Bibel zu lesen. Später sagte er, daß er der Lektüre der Bibel einen großen Teil seiner Bildung verdanke.

Die ersten Zweifel an der Güte Gottes bekam der sechsjährige Goethe, als die Nachricht des schrecklichen Erdbebens von Lissabon auch in Deutschland bekannt wurde:

Durch ein außerordentliches Weltereignis wurde jedoch die Gemütsruhe des Knaben zum erstenmal im tiefsten erschüttert. Am 1. November 1755 ereignete sich das Erdbeben von Lissabon, und verbreitete über die in Frieden und Ruhe schon eingewohnte Welt einen ungeheuren Schrecken. Eine große prächtige Residenz, zugleich Handels- und Hafenstadt, wird ungewarnt von dem furchtbarsten Unglück betroffen. Die Erde bebt und schwankt, das Meer braust auf, die Schiffe schlagen zusammen, die Häuser stürzen ein, Kirchen und Türme darüber her, der königliche Palast zum Teil wird vom Meere verschlungen, die geborstene Erde scheint Flammen zu speien: denn überall meldet sich Rauch und Brand in den Ruinen. Sechzigtausend Menschen, einen Augenblick zuvor noch ruhig und behaglich, gehen miteinander zugrunde, und der Glücklichste darunter ist der zu nennen, dem keine Empfindung, keine Besinnung über das Unglück mehr gestattet ist. Die Flammen wüten fort, und mit ihnen wütet eine Schar sonst verborgner, oder durch dieses Ereignis in Freiheit gesetzter Verbrecher. Die unglücklichen Übriggebliebenen sind dem Raube, dem Morde, allen Mißhandlungen bloßgestellt; und so behauptet von allen Seiten die Natur ihre schrankenlose Willkür...

Der Knabe, der alles dieses wiederholt vernehmen mußte, war nicht wenig betroffen. Gott, der Schöpfer und Erhalter Himmels und der Erden, den ihm die Erklärung des ersten Glaubensartikels so weise und gnädig vorstellte, hatte sich, indem er die Gerechten mit den Ungerechten gleichem Verderben preisgab, keinesfalls väterlich bewiesen.

Der folgende Sommer gab eine nähere Gelegenheit, den zornigen Gott, von dem das Alte Testament so viel überliefert, unmittelbar kennen zu lernen. Unversehens brach ein Hagelwetter herein und schlug die neuen Spiegelscheiben der gegen

Abend gelegenen Hinterseite des Hauses unter Donner und Blitzen auf das gewaltsamste zusammen, beschädigte die neuen Möbeln, verderbte einige schätzbare Bücher und sonst werte Dinge, und war für die Kinder um so fürchterlicher, als das ganz außer sich gesetzte Hausgesinde sie in einen dunklen Gang mit fortriß und dort auf den Knien liegend durch schreckliches Geheul und Geschrei die entzürnte Gottheit zu versöhnen glaubte; indessen der Vater, ganz allein gefaßt, die Fensterflügel aufriß und aushob, wodurch er zwar manche Scheibe rettete, aber auch dem auf den Hagel folgenden Regenguß einen desto offnern Weg bereitete, so daß man sich, nach endlicher Erholung, auf den Vorsälen und Treppen von flutendem und rinnendem Wasser umgeben sah.

Womit Cornelia und Johann Wolfgang spielten und wie sie sich beschäftigten, wenn der Vater oder die Privatlehrer sie aus dem Unterricht entließen, erzählt Goethe auch in: »Dichtung und Wahrheit«:

Man hatte das von der Großmutter hinterlassene Puppenspiel wieder aufgestellt, und zwar dergestalt eingerichtet, daß die Zuschauer in meinem Giebelzimmer sitzen, die spielenden und dirigierenden Personen aber, wie das Theater selbst, in einem Nebenzimmer Platz und Raum fanden...
Wir hatten das ursprüngliche Hauptdrama, worauf die Puppengesellschaft eigentlich eingerichtet war, auswendig gelernt und führten es anfangs auch ausschließlich auf; allein dies ermüdete uns bald, wir veränderten die Garderobe, die Dekorationen, und wagten uns an verschiedene Stücke, die freilich für einen so kleinen Schauplatz zu weitläufig waren. Ob wir uns nun gleich durch diese Ausnahmen dasjenige, was wir wirklich hätten leisten können, verkümmerten und zuletzt gar zerstör-

ten, so hat doch diese kindliche Unterhaltung und Beschäftigung auf sehr mannigfaltige Weise bei mir das Erfindungs-und Darstellungsvermögen, die Einbildungskraft und eine gewisse Technik geübt und befördert, wie es vielleicht auf keinem andern Wege, in so kurzer Zeit, in einem so engen Raume, mit so wenigem Aufwand hätte geschehen können.

Man hatte zu der Zeit noch keine Bibliotheken für Kinder veranstaltet. Die Alten hatten selbst noch kindliche Gesinnungen, und fanden es bequem, ihre eigene Bildung der Nachkommenschaft mitzuteilen. Außer dem »Orbis pictus« des Amos Comenius kam uns kein Buch dieser Art in die Hände; aber die große Foliobibel, mit Kupfern von Merian, ward häufig von uns durchblättert; Gottfrieds »Chronik«, mit Kupfern desselben Meisters, belehrte uns von den merkwürdigsten Fällen der Weltgeschichte... so war mein junges Gehirn schnell genug mit einer Masse von Bildern und Begebenheiten, von bedeutenden und wunderbaren Gestalten und Ereignissen angefüllt, und ich konnte niemals Langeweile haben, indem ich mich immerfort beschäftigte, diesen Erwerb zu verarbeiten, zu wiederholen, wieder hervorzubringen... Daß »Robinson Crusoe« sich zeitig angeschlossen, liegt wohl in der Natur der Sache; daß »Die Insel Felsenburg« nicht gefehlt habe, läßt sich denken. Lord Ansons »Reise um die Welt« verband das Würdige der Wahrheit mit dem Phantasiereichen des Märchens, und indem wir diesen trefflichen Seemann mit den Gedanken begleiteten, wurden wir weit in alle Welt hinausgeführt, und versuchten, ihm mit unsern Fingern auf dem Globus zu folgen. Nun sollte mir noch eine reichlichere Ernte bevorstehn, indem ich an eine Masse Schriften geriet, die zwar in ihrer gegenwär-

tigen Gestalt nicht vortrefflich genannt werden können, deren Inhalt jedoch uns manches Verdienst voriger Zeiten in einer unschuldigen Weise näher bringt.

Der Verlag oder vielmehr die Fabrik jener Bücher, welche in der folgenden Zeit unter dem Titel »Volksschriften«, »Volksbücher«, bekannt und sogar berühmt geworden, war in Frankfurt selbst, und sie wurden, wegen des großen Abgangs, mit stehenden Lettern auf das schrecklichste Löschpapier fast unleserlich gedruckt. Wir Kinder hatten also das Glück, diese schätzbaren Überreste der Mittelzeit auf einem Tischchen vor der Haustüre eines Büchertrödlers täglich zu finden und sie uns für ein paar Kreuzer anzueignen. Der »Eulenspiegel«, »Die vier Haimonskinder«, »Die schöne Melusine«, »Der Kaiser Oktavian«, »Die schöne Magelone«... alles stand uns zu Diensten, sobald uns gelüstete, nach diesen Werken anstatt nach irgend einer Näscherei zu greifen. Der größte Vorteil dabei war, daß, wenn wir ein solches Heft zerlesen oder sonst beschädigt hatten, es bald wieder angeschafft und aufs neue verschlungen werden konnte.

Vor des Vaters didaktischen und pädagogischen Bedrängnissen flüchteten wir gewöhnlich zu den Großeltern. Ihre Wohnung lag auf der Friedberger Gasse und schien ehemals eine Burg gewesen zu sein: denn wenn man herankam, sah man nichts als ein großes Tor mit Zinnen, welches zu beiden Seiten an zwei Nachbarhäuser stieß... Gewöhnlich eilten wir sogleich in den Garten, der sich ansehnlich lang und breit hinter den

Gebäuden hin erstreckte und sehr gut unterhalten war... Die lange, gegen Mittag gerichtete Mauer war zu wohl gezogenen Spalier-Pfirsichbäumen genützt, von denen uns die verbotenen Früchte den Sommer über gar appetitlich entgegenreiften. Doch vermieden wir lieber diese Seite, weil wir unsere Genäschigkeit hier nicht befriedigen durften, und wandten uns zu der entgegengesetzten, wo eine unabsehbare Reihe Johannis- und Stachelbeerbüsche unserer Gierigkeit eine Folge von Ernten bis in den Herbst eröffnete.

Wie es sich damals für den Sohn eines wohlhabenden Bürgers gehörte, bekam Goethe, der sehr gerne malte, auch Zeichenunterricht. Er hatte Klavierstunden und Sportunterricht: Goethe lernte fechten und reiten. Schwimmen konnte er auch und ganz besonders mochte er das Schlittschuhlaufen. Das hat er später sogar als Mode in Weimar eingeführt.
Es gab Theaterbesuche und Konzerte; an ein ganz besonderes erinnert er sich in »Dichtung und Wahrheit«:

Als ich etwa vierzehn Jahre alt war, kam Mozart auf der Durchreise nach Frankfurt und gab dort ein Konzert. Er war damals sieben Jahre alt, und ich erinnere mich des kleinen Mannes in seiner Frisur und mit dem Degen an der Seite noch ganz deutlich.

Das Frankfurt des zwanzigsten Jahrhunderts ist eine moderne Großstadt, eine der wichtigsten deutschen Handels-, Industrie-, Börsen- und Messestädte. Im zweiten Weltkrieg wurde die Stadt stark bombardiert und die mittelalterliche Altstadt zerstört.

Inzwischen sind einige historische Gebäude restauriert worden, darunter das Geburtshaus von Goethe, das sein Museum geworden ist. Die Möbel darin stammen aus der Goethe-Zeit, die Küche, die man dort bewundern kann, hat einen großen Rauchfang, viel altes Kupfergerät und schöne Töpfe auf den Regalen, hier würde man sich auch heute sehr wohlfühlen!

Nach dem Krieg wurde in Frankfurt viel gebaut. Schöner als zu Goethes Zeiten ist die Stadt leider nicht geworden. Was hätte Goethe wohl zur heutigen Baukunst zu sagen? Er kritisierte ja schon die von damals. Was sagt nun Goethe über seine Heimatstadt?

Der Römerberg in Frankfurt.

Nichts architektonisch Erhebendes war damals in Frankfurt zu sehen; alles deutete auf eine längst vergangene, für Stadt und Gegend sehr unruhige Zeit. Pforten und Türme, welche die Grenzen der Stadt bezeichneten, dann weiterhin abermals Pforten, Türme, Mauern, Brücken, Wälle, Gräben, womit die neue Stadt umschlossen war, alles sprach noch zu deutlich aus, daß die Notwendigkeit, in unruhigen Zeiten dem Gemeinwesen Sicherheit zu verschaffen, diese Anstalten hervorgebracht, daß die Plätze, die Straßen, selbst die neuen, breiter und schöner angelegten, alle nur dem Zufall und der Willkür und keinem regelnden Geiste ihren Ursprung zu danken hatten...

In »Dichtung und Wahrheit« schildert Goethe das Frankfurt seiner Kindheit:

Um diese Zeit war es eigentlich, daß ich meine Vaterstadt zuerst gewahr wurde: wie ich denn nach und nach immer freier und ungehinderter, teils allein, teils mit muntern Gespielen, darin auf und ab wandelte...
Am liebsten spazierte ich auf der großen Mainbrücke. Ihre Länge, ihre Festigkeit, ihr gutes Ansehen machte sie zu einem bemerkenswerten Bauwerk; auch ist es aus früherer Zeit beinahe das einzige Denkmal jener Vorsorge, welche die weltliche Obrigkeit ihren Bürgern schuldig ist. Der schöne Fluß auf- und abwärts zog meine Blicke nach sich; und wenn auf dem Brükkenkreuz der goldene Hahn im Sonnenschein glänzte, so war es mir immer eine erfreuliche Empfindung. Gewöhnlich ward alsdann durch Sachsenhausen spaziert und die Überfahrt für einen Kreuzer gar behaglich genossen. Da befand man sich nun wieder diesseits, da schlich man zum Weinmarkte, bewun-

derte den Mechanismus der Krane, wenn Waren ausgeladen wurden; besonders aber unterhielt uns die Ankunft der Marktschiffe, wo man so mancherlei und mitunter so seltsame Figuren aussteigen sah...

Bedeutender noch und in einem andern Sinne fruchtbarer blieb für uns das Rathaus, der Römer genannt. In seinen untern, gewölbähnlichen Hallen verloren wir uns gar zu gerne. Wir verschafften uns Eintritt in das große, höchst einfache Sessionszimmer des Rates. Bis auf eine gewisse Höhe getäfelt, waren übrigens die Wände so wie die Wölbung weiß, und das Ganze ohne Spur von Malerei oder irgend einem Bildwerk. Nur an der mittelsten Wand in der Höhe las man die kurze Inschrift:

> Eines Manns Rede
> Ist keines Manns Rede:
> Man soll sie billig hören Beede.

Schon zu Goethes Zeiten war Frankfurt eine wichtige Messestadt:

...Hatte man so kaum ein halbes Jahr hingebracht, so traten schon wieder die Messen ein, welche in sämtlichen Kinderköpfen jederzeit eine unglaubliche Gärung hervorbrachten. Eine durch Erbauung so vieler Buden innerhalb der Stadt in weniger Zeit entspringende neue Stadt, das Wogen und Treiben, das Abladen und Auspacken der Waren erregte von den ersten Momenten des Bewußtseins an eine unbezwinglich tätige Neugierde und ein unbegrenztes Verlangen nach kindischem Besitz, das der Knabe mit den wachsenden Jahren, bald auf diese bald auf jene Weise, wie es die Kräfte seines kleinen Beutels er-

lauben wollten, zu befriedigen suchte. Zugleich aber bildete sich die Vorstellung von dem, was die Welt alles hervorbringt, was sie bedarf, und was die Bewohner ihrer verschiedenen Teile gegen einander auswechseln.

Eine von unseren liebsten Promenaden, die wir uns des Jahrs ein paarmal zu verschaffen suchten, war es, inwendig auf dem Gange der Stadtmauer herumzuspazieren. Gärten, Höfe, Hintergebäude ziehen sich bis an den Zwinger heran; man sieht mehrere tausend Menschen in ihren häuslichen, kleinen, abgeschlossenen, verborgenen Zuständen. Von dem Putz- und Schaugarten des Reichen zu den Obstgärten des für seinen Nutzen besorgten Bürgers, von da zu Fabriken, Bleichplätzen und ähnlichen Anstalten, ja bis zum Gottesacker selbst... ging man an dem mannigfaltigsten, wunderlichsten, mit jedem Schritt sich verändernden Schauspiel vorbei, an dem unsere kindliche Neugier sich nicht genug ergetzen konnte... Die Schlüssel, deren man sich auf diesem Wege bedienen mußte, um durch mancherlei Türme, Treppen und Pförtchen durchzukommen, waren in den Händen der Zeugherren, und wir verfehlten nicht, ihren Subalternen (Untergebenen) aufs beste zu schmeicheln.

Auch Frankfurt bekam die Auswirkungen des Siebenjährigen Krieges zu spüren. Im Januar 1759 wurde die Stadt von den Franzosen besetzt. Goethes Vater mußte es ertragen, Einquartierung in sein schönes Haus zu bekommen, und mehrere Zimmer dem französischen Königsleutnant Graf Thoranc zur Ver-

fügung stellen. Obwohl der ungebetene Gast höflich Rücksicht auf seine Wirte nahm, begegnete ihm der Rat Goethe mit grober Ablehnung. Anders der Sohn, mit dem der Offizier eine Art Freundschaft schloß. Für den elfjährigen Johann Wolfgang und seine um ein Jahr jüngere Schwester war es eine abwechslungsreiche, aufregende Zeit. Besonders genossen sie die regelmäßigen Besuche des Theaters, in dem eine französische Schauspieltruppe gastierte:

Von meinem Großvater hatte ich ein Freibillet erhalten, dessen ich mich täglich bediente. Hier saß ich nun im Parterre vor einer fremden Bühne und paßte um so mehr auf Bewegung, mimischen und Redeausdruck, als ich wenig oder nichts von dem verstand, was da oben gesprochen wurde, und also meine Unterhaltung nur vom Gebärdenspiel und Sprachton nehmen konnte.
Da ich nicht immer die ganzen Stücke anzuhören Geduld hatte und manche Zeit in den Korridors, auch wohl bei gelinderer Jahreszeit vor der Tür, mit andern Kindern meines Alters allerlei Spiele trieb, so gesellte sich auch ein schöner munterer Knabe zu uns, der zum Theater gehörte und den ich in manchen kleinen Rollen, obwohl nur beiläufig, gesehen hatte. Mit mir konnte er sich am besten verständigen, indem ich mein Französisch bei ihm geltend zu machen wußte; und er knüpfte sich umso mehr an mich, als kein Knabe seines Alters und seiner Nation beim Theater oder sonst in der Nähe war…

Der Graf Thoranc übte die strengste Uneigennützigkeit; selbst Gaben, die seiner Stelle gebührten, lehnte er ab; das Geringste was einer Bestechung hätte ähnlich sehen können, wurde mit Zorn, ja mit Strafe weggewiesen; seinen Leuten war aufs strengste befohlen, dem Hausbesitzer nicht die mindesten Un-

kosten zu machen. Dagegen wurde uns Kindern reichlich vom Nachtische mitgeteilt. Bei dieser Gelegenheit muß ich, um von der Unschuld jener Zeiten einen Begriff zu geben, anführen, daß die Mutter uns eines Tages höchlich betrübte, indem sie das Gefrorene, das man uns von der Tafel sendete, weggoß, weil es ihr unmöglich vorkam, daß der Magen ein wahrhaftes Eis, wenn es auch noch so durchzuckert sei, vertragen könne. Außer diesen Leckereien, die wir denn doch allmählich ganz gut genießen und vertragen lernten, deuchte es uns Kindern auch noch gar behaglich, von genauen Lehrstunden und strenger Zucht einigermaßen entbunden zu sein. Des Vaters üble Laune nahm zu, er konnte sich nicht in das Unvermeidliche ergeben. Wie sehr quälte er sich, die Mutter und den Gevatter, die Ratsherren, alle seine Freunde, nur um den Grafen los zu werden!

Auf diese Weise ward seine Tätigkeit gelähmt, die er sonst hauptsächlich auf uns zu wenden gewohnt war. Das was er uns aufgab, forderte er nicht mehr mit der sonstigen Genauigkeit, und wir suchten, wie es nur möglich schien, unsere Neugierde an militärischen und andern öffentlichen Dingen zu befriedigen.

Vom Vater hab' ich die Statur,
Des Lebens ernstes Führen,
Von Mütterchen die Frohnatur
Und Lust zu fabulieren.
Urahnherr war der Schönsten hold,
Das spukt so hin und wieder,
Urahnfrau liebte Schmuck und Gold,
Das zuckt wohl durch die Glieder.
Sind nun die Elemente nicht
Aus dem Komplex zu trennen,
Was ist denn an dem ganzen Wicht
Original zu nennen?

Die ersten vier Zeilen dieses Verses von Goethe werden oft angeführt, wenn man zu seiner Natur, zu seinem Charakter oder seinem Wesen etwas sagen will. Vielleicht treffen sie wirklich zu. Sicherlich muß da aber noch mehr gewesen sein, damit aus dem »Wicht« ein solches »Original« werden konnte, aus dem Sproß der Familien Textor und Goethe der Dichter Johann Wolfgang Goethe.

Die Eltern.

Der Vater stammte aus einer thüringischen Familie von Bauern, Handwerkern und Gastwirten. Er hatte von seinem Vater ein stattliches Vermögen geerbt, hatte die Rechtswissenschaften studiert und Bildungsreisen nach Italien und nach Frankreich unternommen.
1748 heiratete er die Tochter des Stadtschultheißen Textor, Catharina Elisabeth.
Goethes Vater liebte seine wertvollen Bücher, seine Bilder- und Kunstsammlungen, die in dem umgebauten Haus nun besonders gut zur Geltung kamen. Er widmete sich den eigenen Interessen und der Erziehung seiner Kinder.
Goethes Mutter, von der er, wie es im Gedicht heißt, die »Frohnatur« geerbt hat, war siebzehn Jahre alt gewesen, als sie seinen Vater heiratete. Johann Wolfgang war ihr Lieblingskind. Noch in späten Jahren nannte sie ihn ihren »Hätschelhans«.
Mit seiner Schwester Cornelia verstand sich Johann Wolfgang besonders gut. So erzählte es seine Mutter einer Freundin:

Er war ein eigenes Kind, die kleine Schwester Cornelia liebte er schon zärtlich, als sie noch in der Wiege lag, und er pflegte heimlich Brot in der Tasche zu tragen, das er dem Kind in den Mund stopfte, wenn es schrie; wollte man es nehmen, so war er zornig.
Bei dem Tod seines jüngeren Bruders Jacob vergoß er keine Träne, er schien vielmehr eine Art Ärger über die Klagen der Eltern und Geschwister zu empfinden. Als ich ihn nach acht Tagen fragte, ob er den Bruder nicht liebgehabt, lief er in seine Kammer und brachte unter dem Bett eine Menge Papier hervor, das er mit Lektionen und Geschichten beschrieben hatte. »Dies alles«, sagte er, »habe ich gemacht, um es den Bruder zu lehren!«

Der Neue Amadis

Als ich noch ein Knabe war,
Sperrte man mich ein,
Und so saß ich manches Jahr
Über mir allein
Wie in Mutterleib.

Doch du warst mein Zeitvertreib,
Goldne Phantasie,
Und ich ward ein warmer Held,
Wie der Prinz Pipi,
Und durchzog die Welt.

Baute manch kristallen Schloß
Und zerstört' es auch,
Warf mein blinkendes Geschoß
Drachen durch den Bauch,
Ja, ich war ein Mann!

Ritterlich befreit' ich dann
Die Prinzessin Fisch;
Sie war gar zu obligeant,
Führte mich zu Tisch,
und ich war galant.

Und ihr Kuß war Himmelsbrot,
Glühend wie der Wein.
Ach, ich liebte fast mich tot,
Rings mit Sonnenschein
War sie emailliert.

Ach! Wer hat sie mir entführt?
Hielt kein Zauberband
Ihr verrät'risch Fliehn?
Sagt, wo ist ihr Land,
Wo der Weg dahin?

Eine andere Erinnerung an Goethes Kindheit berichtet die gleiche Freundin:

Es war, glaub ich, am Geburtstag der Mutter, da schafften die Kinder den grünen Sessel, auf dem die Mutter abends, wenn sie erzählte, zu sitzen pflegte, und der darum der Märchensessel genannt wurde, in aller Stille in den Garten, putzten ihn auf mit Bändern und Blumen, und nachdem Gäste und Verwandte sich versammelt hatten, trat der Wolfgang als Schäfer gekleidet mit einer Hirtentasche, aus der eine Rolle mit goldenen

Buchstaben herabhing, mit einem grünen Kranz auf dem Kopf unter den Birnbaum und hielt eine Anrede an den Sessel, als den Sitz der schönen Märchen. Es war eine große Freude, den schönen bekränzten Knaben unter den blühenden Zweigen zu sehen, wie er im Feuer der Rede, welche er mit großer Zuversicht hielt, aufbrauste. Der zweite Teil dieses schönen Festes bestand in Seifenblasen, welche im Sonnenschein von Kindern, welche den Märchenstuhl umkreuzten, in die heitere Luft gehaucht, von Zephir (Westwind) aufgenommen und schwebend hin und her geweht wurden. Sooft eine Blase auf den gefeierten Stuhl sank, schrie alles: Ein Märchen, ein Märchen. Die Nachbarsleute in den angrenzenden Gärten guckten über Mauer und Verzäunung und nahmen den lebhaftesten Anteil an diesem großen Jubel, so daß dies kleine Fest am Abend in der ganzen Stadt bekannt war. Die Stadt hats vergessen, die Mutter hats behalten.

Der zwölfjährige Goethe.

Cornelia war ein liebenswertes und begabtes Mädchen. An niemandem hing sie so sehr wie an dem Bruder. Als er 1765 Frankfurt verließ, begannen schwere Jahre für die Schwester. Später heiratete Cornelia Goethes Jugendfreund Schlosser. Sie starb schon mit siebenundzwanzig Jahren.

Als frischgebackener Student der Rechte schrieb der sechzehnjährige Johann Wolfgang ihr den folgenden Brief:

Leipzig, den 6. Dezember 1765
La veille du jour de ta naissance
(Am Vorabend deines Geburtstages)

Mädchen,
Ich habe jetzo Lust, mich mit dir zu unterreden; und eben diese Lust bewegt mich, an dich zu schreiben. Sei stolz darauf, Schwester, daß ich dir ein Stück Zeit schenke, die ich so notwendig brauche. Neige dich für diese Ehre, die ich dir antue; tief, noch tiefer; ich sehe gern, wenn du artig bist. Noch ein wenig! Genug! Gehorsamer Diener! Lachst du etwa, Närrchen, daß ich in einem so hohen Tone spreche? Lache nur. Wahrlich, seitdem ich gelernt habe, daß man ein Sonnenstäubchen in einige tausend Teilchen teilen könne, seitdem, sage ich, schäme ich mich, daß ich jemals einem Mädchen zu Gefallen gegangen bin, die vielleicht nicht gewußt hat, daß es Tierchen gibt, die auf einer Nadelspitze ein Menuett tanzen können!
Doch daß du siehst, wie brüderlich ich handle, will ich dir auf deine närrischen Briefe antworten.
Was! mit deinem Schönschreiben! Dank dem Himmel, daß du einen Buchstaben von mir zu sehen bekommst. Du hast nichts zu tun, da kannst du dich hinsetzen und zirkeln, ich aber muß alles in Eile tun... Schreibe mir oft, denn du hast Zeit; alles, was Merkwürdiges in der Stadt vorgehet.
Es ist heute dein Geburtstag, ich sollte dir poetisch Glück wünschen. Aber ich habe keine Zeit mehr, auch keinen Platz mehr. Werde klüger, so wie du älter wirst.
Leb wohl.

In das Stammbuch seines Frankfurter Freundes Moors schrieb Goethe:

Dieses ist das Bild der Welt,
Die man für die beste hält:
Fast wie eine Mördergrube,
Fast wie eines Burschen Stube,
Fast so wie ein Opernhaus,
Fast wie ein Magisterschmaus,
Fast wie Köpfe von Poeten,
Fast wie schöne Raritäten,
Fast wie abgesetztes Geld
Sieht sie aus, die beste Welt.
(Rusum teneatis amici! Horatius.)

Es hat der Autor, wenn er schreibt,
So was Gewisses, das ihn treibt.
Der Trieb zog auch den Alexander
Und alle Helden miteinander.
Drum schreib ich auch allhier mich ein:
Ich möcht nicht gern vergessen sein.
Frankfurt am Main Goethe
den 28. August 1765.

Es ist ein Abschiedsgedicht. Im Herbst 1765 verließ Goethe Frankfurt, um auf Wunsch seines Vaters in Leipzig Rechtswissenschaft zu studieren. Seinen eigenen Vorstellungen entsprach dieses Studium nicht, er wollte nicht eines Tages wie der Vater »nach so vielen Studien, Bemühungen, Reisen und mannigfaltiger Bildung endlich zwischen seinen Brandmauern ein einsames Dasein führen, wie ich es mir nicht wünschte... Dies lag als eine entsetzliche Last auf meinem Gemüte, von der ich mich nur zu befreien wußte, indem ich mir einen ganz anderen Lebensplan als den mir vorgeschriebenen zu ersinnen trachtete. Ich warf in Gedanken die juristischen Studien weg und widmete mich allein den Sprachen, den Altertümern, der Geschichte und allem, was daraus hervorquillt...«

Goethe blieb drei Jahre in Leipzig. An der Universität gefiel es ihm nicht sehr, aber er genoß von Herzen das freie Leben weit weg vom Elternhaus, er nahm Zeichenunterricht, musizierte mit Freunden, dichtete eifrig, ging viel ins Theater, kurz, er »studierte das Leben«.

Im dritten Jahr seines Leipziger Aufenthaltes wurde Goethe schwer krank. Er mußte zurück nach Frankfurt, um sich im Elternhaus gesund pflegen zu lassen.

Im Frühjahr 1770, mit zwanzig Jahren, ging Goethe nach Straßburg, um dort das Studium der Rechtswissenschaften zu beenden. Mit seiner Gesundheit stand es besser; er hatte »Munterkeit im Überfluß«.
Nun begann eine gute Zeit für ihn, ein ganz neuer Anfang. Viele Erlebnisse in dieser Zeit sind für seine Entwicklung sehr wichtig: er bewunderte das Straßburger Münster, dessen Turm er gleich nach der Ankunft in Straßburg bestieg, er lernte auf vielen Fahrten und Wanderungen das schöne Elsaß kennen, gewann viele neue Freunde und schloß sich besonders Johann Gottfried Herder an, der Dichter, Gelehrter und ein interessanter, kluger Mann war, von dem Goethe viel lernen konnte.
Bei einem der Ausflüge in die schöne Rheinlandschaft lernte Goethe die Familie des Pastors Brion im Dorf Sesenheim kennen. Er verliebte sich in eine der Töchter des Pfarrers, Friede-

rike, und verbrachte nun die schönen Sommerwochen fast nur in Sesenheim. Aus dieser Zeit stammen die »Sesenheimer Lieder«, Liebesgedichte für Friederike:

Ob ich dich liebe, weiß ich nicht.
Seh' ich nur einmal dein Gesicht,
Seh' dir ins Auge nur einmal,
Frei wird mein Herz von aller Qual.
Gott weiß, wie mir so wohl geschicht!
Ob ich dich liebe, weiß ich nicht.

Ich komme bald, ihr goldnen Kinder,
Vergebens sperret uns der Winter
In unsre warmen Stuben ein.
Wir wollen uns zum Feuer setzen
Und tausendfältig uns ergetzen,
Uns lieben wie die Engelein.
Wir wollen kleine Kränzchen winden,
Wir wollen kleine Sträußchen binden
Und wie die kleinen Kinder sein.

Jetzt fühlt der Engel, was ich fühle,
Ihr Herz gewann ich mir beim Spiele,
Und sie ist nun von Herzen mein.
Du gabst mir, Schicksal, diese Freude,
Nun laß auch morgen sein wie heute
Und lehr' mich, ihrer würdig sein.

HEIDENRÖSLEIN

Sah ein Knab' ein Röslein stehn,
Röslein auf der Heiden,
War so jung und morgenschön,
Lief er schnell, es nah zu sehn,
Sah's mit vielen Freuden.
Röslein, Röslein, Röslein rot,
Röslein auf der Heiden.

Knabe sprach: Ich breche dich,
Röslein auf der Heiden!
Röslein sprach: Ich steche dich,
Daß du ewig denkst an mich,
Und ich will's nicht leiden.
Röslein, Röslein, Röslein rot,
Röslein auf der Heiden.

Und der wilde Knabe brach
's Röslein auf der Heiden;
Röslein wehrte sich und stach,
Half ihr doch kein Weh und Ach,
Mußt' es eben leiden.
Röslein, Röslein, Röslein rot,
Röslein auf der Heiden.

Maifest

Wie herrlich leuchtet
Mir die Natur!
Wie glänzt die Sonne!
Wie lacht die Flur!

Es dringen Blüten
Aus jedem Zweig
Und tausend Stimmen
Aus dem Gesträuch

Und Freud und Wonne
Aus jeder Brust.
O Erd', o Sonne,
O Glück, o Lust,

O Lieb', o Liebe,
So golden schön
Wie Morgenwolken
Auf jenen Höhn,

Du segnest herrlich
Das frische Feld,
Im Blütendampfe
Die volle Welt!

O Mädchen, Mädchen.
Wie lieb' ich dich!
Wie blinkt dein Auge,
Wie liebst du mich!

So liebt die Lerche
Gesang und Luft,
Und Morgenblumen
Den Himmelsduft,

Wie ich dich liebe
Mit warmen Blut,
Die du mir Jugend
Und Freud' und Mut

Zu neuen Liedern
Und Tänzen gibst.
Sei ewig glücklich,
Wie du mich liebst.

In seinen Lebenserinnerungen schreibt Goethe über die schöne Zeit in Sesenheim:

Unter diesen Umgebungen trat unversehens die Lust zu dichten, die ich lange nicht gefühlt hatte, wieder hervor. Ich legte für Friederike manche Lieder bekannten Melodien unter... Da ich meiner Studien wegen doch öfters nach der Stadt zurückzukehren genötigt war, so entsprang dadurch für unsere Neigung ein neues Leben... Entfernt von mir arbeitete sie für mich, und dachte auf irgend eine neue Unterhaltung, wenn ich zurückkäme; entfernt von ihr beschäftigte ich mich für sie, um durch eine neue Gabe, einen neuen Einfall ihr wieder neu zu sein. Gemalte Bänder waren damals eben erst Mode geworden; ich malte ihr gleich ein paar Stücke und sendete sie mit einem kleinen Gedicht voraus...

MIT EINEM GEMALTEN BAND

Kleine Blumen, kleine Blätter
Streuen mir mit leicher Hand
Gute junge Frühlingsgötter
Tändelnd auf ein luftig Band.

Zephyr, nimm's auf deine Flügel,
Schling's um meiner Liebsten Kleid!
Und so tritt sie vor den Spiegel
All in ihrer Munterkeit.

Sieht mit Rosen sich umgeben,
Selbst wie eine Rose jung:
Einen Blick, geliebtes Leben!
Und ich bin belohnt genung.

Fühle, was dies Herz empfindet,
Reiche frei mir deine Hand,
Und das Band, das uns verbindet,
Sei kein schwaches Rosenband!

Von dieser Zeit berichtete auch eine alte Frau in Sesenheim: „Da ich einmal zu Tisch geladen war in der Pfarr, sah ich die Friederike, die die Kinder, die mit zu Gast sind, in der Nebenstube versorgt, wo auch andere junge Leute sind, die Eltern und andere Fremde speisten im großen Zimmer. Nun sehe ich, wie die Friederike aus einer Schüssel Hühnerfrikassee die besten Bissen aussucht, die Leberchen und die Bruststücke. Ich sage: Frau Base, was ist das mit der Friederike? Die ist sonst so demütig, und nun nimmt sie das Beste vom Essen? – Ach, spricht sie, laßt sie nur; das ist nicht für sie. Schauen Sie in die andere Stube, da sitzt ein junger Herr, zu dem werden die guten Bissen schon den Weg finden. Ich schau hin und seh da einen schmucken jungen Student sitzen; der kriegt' auch alles. Das war Goethe.«

WILLKOMMEN UND ABSCHIED

Es schlug mein Herz, geschwind zu Pferde!
Es war getan fast eh gedacht.
Der Abend wiegte schon die Erde,
Und an den Bergen hing die Nacht;
Schon stand im Nebelkleid die Eiche,
Ein aufgetürmter Riese, da,
Wo Finsternis aus dem Gesträuche
Mit hundert schwarzen Augen sah.

Der Mond von einem Wolkenhügel
Sah kläglich aus dem Duft hervor,
Die Winde schwangen leise Flügel,
Umsausten schauerlich mein Ohr;
Die Nacht schuf tausend Ungeheuer,
Doch frisch und fröhlich war mein Mut:
In meinen Adern welches Feuer!
In meinen Herzen welche Glut!

Dich sah ich, und die milde Freude
Floß von dem süßen Blick auf mich;
Ganz war mein Herz an deiner Seite
Und jeder Atemzug für dich.

Ein rosenfarbnes Frühlingswetter
Umgab das liebliche Gesicht,
Und Zärtlichkeit für mich – ihr Götter!
Ich hofft' es, ich verdient' es nicht!

Doch ach, schon mit der Morgensonne
Verengt der Abschied mir das Herz:
In deinen Küssen welche Wonne!
In deinen Augen welcher Schmerz!
Ich ging, du standst und sahst zu Erden
Und sahst mir nach mit nassem Blick:
Und doch, welch Glück, geliebt zu werden!
Und lieben, Götter, welch ein Glück!

Mitte August 1771 beendete Goethe seine Straßburger Studien mit dem Abschlußexamen, das ihn zum Rechtsanwalt machte. Er ritt ein letztes Mal von Straßburg nach Sesenheim und verabschiedete sich von Friederike, ohne ihr zu sagen, daß es ein endgültiger Abschied war. Der gemeinsame Freund der beiden, der junge Dichter Lenz, hat ein Gedicht über die verlassene Friederike gemacht:

»Denn immer, immer, immer doch
Schwebt ihr das Bild an Wänden noch,
Von einem Menschen, welcher kam
Und ihr als Kind das Herze nahm,
Fast ausgelöscht ist sein Gesicht,
Doch seiner Worte Kraft noch nicht,
Und jener Stunden Seligkeit,
Ach, jener Träume Wirklichkeit...«

An Den Mond

Füllest wieder Busch und Tal
Still mit Nebelglanz,
Lösest endlich auch einmal
Meine Seele ganz;

Breitest über mein Gefild
Lindernd deinen Blick,
Wie des Freundes Auge mild
Über mein Geschick.

Jeden Nachklang fühlt mein Herz
Froh- und trüber Zeit,
Wandle zwischen Freud' und Schmerz
In der Einsamkeit.

Fließe, fließe, lieber Fluß!
Nimmer werd' ich froh,
So verrauschte Scherz und Kuß,
Und die Treue so.

Ich besaß es doch einmal,
Was so köstlich ist!
Daß man doch zu seiner Qual
Nimmer es vergißt!

Rausche, Fluß, das Tal entlang,
Ohne Rast und Ruh,
Rausche, flüstre meinem Sang
Melodien zu,

Wenn du in der Winternacht
Wütend überschwillst,
Oder um die Frühlingspracht
Junger Knospen quillst.

Selig, wer sich vor der Welt
Ohne Haß verschließt,
Einen Freund am Busen hält
Und mit dem genießt,

Was, von Menschen nicht gewußt
Oder nicht bedacht,
Durch das Labyrinth der Brust
Wandelt in der Nacht.

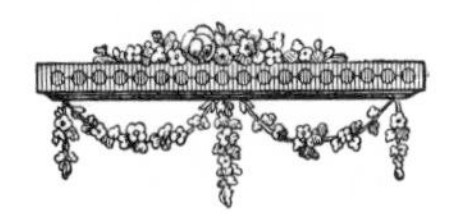

Meeresstille

Tiefe Stille herrscht im Wasser,
Ohne Regung ruht das Meer,
Und bekümmert sieht der Schiffer
Glatte Fläche rings umher.
Keine Luft von keiner Seite!
Todesstille fürchterlich!
In der ungeheuern Weite
Reget keine Welle sich.

Glückliche Fahrt

Die Nebel zerreißen,
Der Himmel ist helle,
Und Äolus löset
Das ängstliche Band.
Es säuseln die Winde,
Es rührt sich der Schiffer.
Geschwinde! Geschwinde!
Es teilt sich die Welle,
Es naht sich die Ferne;
Schon seh' ich das Land!

Jägers Abendlied

Im Felde schleich ich still und wild,
Gespannt mein Feuerrohr.
Da schwebt so licht dein liebes Bild,
Dein süßes Bild mir vor.

Du wandelst jetzt wohl still und mild
Durch Feld und liebes Tal,
Und ach, mein schnell verrauschend Bild,
Stellt sich dirs nicht einmal?

Des Menschen, der die Welt durchstreift
Voll Unmut und Verdruß,
Nach Osten und nach Westen schweift,
Weil er dich lassen muß.

Mir ist es, denk ich nur an dich,
Als in den Mond zu sehn;
Ein stiller Friede kommt auf mich,
Weiß nicht, wie mir geschehn.

SCHÄFERS KLAGELIED

Da droben auf jenem Berge,
Da steh ich tausendmal,
An meinem Stabe gebogen,
Und schaue hinab in das Tal.

Dann folg ich der weidenden Herde,
Mein Hündchen bewahret mir sie.
Ich bin herunter gekommen
Und weiß doch selber nicht wie.

Da stehet von schönen Blumen
Die ganze Wiese so voll.
Ich breche sie, ohne zu wissen,
Wem ich sie geben soll.

Und Regen, Sturm und Gewitter
Verpaß ich unter dem Baum.
Die Türe dort bleibet verschlossen;
Denn alles ist leider ein Traum.

Es stehet ein Regenbogen
Wohl über jenem Haus!
Sie aber ist weggezogen,
Und weit in das Land hinaus.

Hinaus in das Land und weiter,
Vielleicht gar über die See.
Vorüber, ihr Schafe, vorüber!
Dem Schäfer ist gar so weh.

Rettung

Mein Mädchen ward mir ungetreu,
Das machte mich zum Freudenhasser;
Da lief ich an ein fließend Wasser,
Das Wasser lief vor mir vorbei.

Da stund ich nun, verzweifelnd, stumm,
Im Kopfe war mir's wie betrunken,
Fast wär' ich in den Strom gesunken,
Es ging die Welt mit mir herum.

Auf einmal hört' ich was, das rief –
Es war ein Stimmchen zum Entzücken:
»Nimm dich in acht! der Fluß ist tief.«

Da lief mir was durchs ganze Blut,
Ich seh', so ist's ein liebes Mädchen;
Ich frage sie: wie heißt du? »Käthchen!« –
»O schönes Käthchen! Du bist gut.

Du hältst vom Tode mich zurück,
Auf immer dank' ich dir mein Leben;
Allein das heißt mir wenig geben,
Nun sei auch meines Lebens Glück!«

Und dann klagt' ich ihr meine Not,
Sie schlug die Augen lieblich nieder;
Ich küßte sie und sie mich wieder;
Und – vorderhand nichts mehr vom Tod.

Gleich und Gleich

Ein Blumenglöckchen
Vom Boden hervor
War früh gesprosset
In lieblichem Flor;
Da kam ein Bienchen
Und naschte fein –
Die müssen wohl beide
Für einander sein.

Liebhaben In Allen Gestalten

Ich wollt, ich wär ein Fisch,
So hurtig und frisch;
Und kämst du zu anglen,
Ich würd nicht manglen.
Ich wollt, ich wär ein Fisch,
So hurtig und frisch.

Ich wollt, ich wär ein Pferd,
Da wär ich dir wert.
O wär ich ein Wagen,
Bequem dich zu tragen.
Ich wollt, ich wär ein Pferd,
Da wär ich dir wert.

Ich wollt, ich wäre Gold,
Dir immer im Sold;
Und tätst du was kaufen,
Käm ich wieder gelaufen.
Ich wollt, ich wäre Gold,
Dir immer im Sold.

Ich wollt, ich wär treu,
Mein Liebchen stets neu;
Ich wollt mich verheißen,
Wollt nimmer verreisen.
Ich wollt, ich wär treu,
Mein Liebchen stets neu.

Ich wollt, ich wär alt
Und runzlig und kalt;
Tätst du mirs versagen,
Da könnt mich nichts plagen.
Ich wollt, ich wär alt
Und runzlig und kalt.

Wär ich Affe sogleich
Voll neckender Streich;
Hätt was dich verdrossen,
So macht ich dir Possen.
Wär ich Affe sogleich
Voll neckender Streich.

Wär ich gut wie ein Schaf,
Wie der Löwe so brav;
Hätt Augen wie's Lüchschen
Und Listen wie's Füchschen.
Wär' ich gut wie ein Schaf,
Wie der Löwe so brav.

Was alles ich wär',
Das gönnt' ich dir sehr;
Mit fürstlichen Gaben,
Du solltest mich haben.
Was alles ich wär',
Das gönnt' ich dir sehr.

Doch bin ich, wie ich bin,
Und nimm mich nur hin!
Willst du beßre besitzen,
So laß sie dir schnitzen.
Ich bin nun, wie ich bin;
So nimm mich nur hin!

Eines der schönsten und bekanntesten Gedichte von Goethe ist:

WANDRERS NACHTLIED

Über allen Gipfeln
Ist Ruh,
In allen Wipfeln
Spürest du
Kaum einen Hauch;
Die Vögelein schweigen im Walde.
Warte nur, balde
Ruhest du auch.

Viele Jahre lang stand »Ein Gleiches« auf der Bretterwand einer kleinen Jagdhütte im Wald bei Ilmenau, wo sich Goethe oft aufhielt, da er für das Ilmenauer Silberbergwerk verantwortlich war.
Am 6. September 1780, mit 31 Jahren, hatte er es dort direkt auf die Holzwand geschrieben. Am 27. August 1831, am Tag vor seinem letzten Geburtstag, kam er zusammen mit seinen Enkeln noch einmal dorthin und erkannte mit Rührung das Gedicht wieder.
Dem Musiker Zelter, der das Gedicht vertont hatte, schrieb Goethe darüber: »Auf einem einsamen Bretterhäuschen des höchsten Gipfels der Tannenwälder rekognoszierte ich die Inschrift vom 6. September 1780 des Liedes, das Du auf den Fittichen der Musik so lieblich beruhigend in alle Welt getragen hast.« Zelter war übrigens nicht der einzige, der eine Melodie zu »Ein Gleiches« fand. Es gibt über hundert Vertonungen davon!
Nach Goethes Tod wurde die Waldhütte ein Wallfahrtsort für Goethe-Bewunderer; das Gedicht auf der Bretterwand mußte unter Glas geschützt werden.

Was man mit diesem Gedicht alles angestellt hat! Davon konnte sich selbst Goethe keine Vorstellung machen.
Wie? Das verstehst du nicht? Daran könne man sich doch nicht die Köpfe zerbrechen? Und dir gefällt das Gedicht einfach so? Na gut. Du mußt ja auch nicht darüber grübeln wie die vielen Literaturforscher, die das Gedicht im Verlauf der letzten hundertfünfzig Jahre mal als Erlebnisdichtung, mal als »Volkslied«, als Naturgedicht oder sonst eines betrachtet und beredet haben.

Natürlich ist es auch in viele Sprachen übersetzt worden, und dabei ist etwas Lustiges passiert:
Denn die komischste Verwandlung, die dieses Gedicht erlebte, geschah, als jemand meinte, es sei ein japanisches. 1902 war »Ein Gleiches« ins Japanische übersetzt worden, 1911 wurde es aus dieser Sprache ins Französische übertragen und aus dem Französischen kurz darauf ins Deutsche, wo es als »Japanisches Nachtlied« in einer Literaturzeitschrift abgedruckt wurde. Ohne es zu ahnen, veröffentlichte man die erstaunlichste Verwandlung von »Über allen Gipfeln ist Ruh«:

Stille ist im Pavillon aus Jade
Krähen fliegen stumm
Zu beschneiten Kirschbäumen im Mondlicht.
Ich sitze
Und weine.

Es gibt aber auch eine Menge absichtlicher Umdichtungen dieses berühmten Gedichtes...
Spottverse aus der Schule wie diesen:

Über allen Bänken ist Ruh.
In allen Reihen
Spürest du
Kaum einen Hauch.
Die Schüler schweigen im Schlafe.
Warte nur, Pauker, balde
Pennest du auch.

Werbesprüche machte man daraus.
Für die »Rumplex«-Waschmaschinenfabrik im Jahre 1924 diesen Vers:

Über allen Räumen ist Ruh.
Vom Waschtag spürest Du
Kaum einen Hauch!
Warte nur, balde...
Rumplext Du auch!

Für eine Ofen-Firma die folgende Umdichtung:

Über allen Wipfeln ist Ruh.
Warte nur, balde ruhest auch du.
Und fröhlich erhebst du am Morgen dich immer
In dem von »Geburth« durchwärmten Zimmer.

Ein »Öko-Nachtlied« stand kürzlich in einer Zeitung:

Über allen Wiesen
Ist Ruh,
In allen Wipfeln
Hörest du
Kaum einen Laut.
Die Vögelein sterben im Walde.
Warte nur, balde
Riechst du es auch.

Und auf bairisch gibt es »Ein Gleiches« auch:

Üba olle Gipfen
iss staad.
In olle Wipfen
waht
nur a Lüftal, so weich –
Koa Vogal rührt si im Woid.
Wart nur, boid
bist aar a Leich.

In seinen Erinnerungen bezeichnet sich Goethe oft als ernst. Im Tagebuch seiner italienischen Reise erzählt er aber auch, was sein Freund über ihn sagte: »Herder hat wohl recht zu sagen: daß ich ein großes Kind bin und bleibe, und jetzt ist es mir so wohl, daß ich ungestört meinem kindlichen Wesen folgen kann...«
Ein paar Beispiele für dieses vergnügte »kindliche Wesen« Goethes sind die folgenden Scherzgedichte:

Beruf des Storchs

Der Storch, der sich von Frosch und Wurm
An unserm Teiche nähret,
Was nistet er auf dem Kirchenturm,
Wo er nicht hingehöret?

Dort klappt und klappert er genung,
Verdrießlich anzuhören;
Doch wagt es weder Alt noch Jung,
Ihm das Nest zu stören.

Wodurch – gesagt mit Reverenz –
Kann er sein Recht beweisen?
Als durch die löbliche Tendenz,
Aufs Kirchendach zu .....?

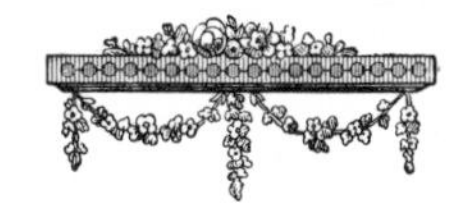

Eins wie's Andre

Die Welt ist ein Sardellensalat;
Er schmeckt uns früh, er schmeckt uns spat:
Zitronenscheibchen rings umher,
Dann Fischlein, Würstlein, und was noch mehr
In Essig und Öl zusammenrinnt,
Kapern, so künftige Blumen sind –
Man schluckt sie zusammen wie ein Gesind.

Das Leben ist ein Gänsespiel:
Je mehr man vorwärts gehet,
Je früher kommt man an das Ziel,
Wo niemand gerne stehet.

Man sagt, die Gänse wären dumm,
O glaubt mir nicht den Leuten:
Denn eine sieht einmal sich 'rum,
Mich rückwärts zu bedeuten.

Ganz anders ist's in dieser Welt,
Wo alles vorwärts drücket,
Wenn einer stolpert oder fällt,
Keine Seele rückwärts blicket.

Ein großer Teich war zugefroren,
Die Fröschlein, in der Tiefe verloren,
Durften nicht ferner quaken noch springen,
Versprachen sich aber, im halben Traum,
Fänden sie nur da oben Raum,
Wie Nachtigallen wollten sie singen.
Der Tauwind kam, das Eis zerschmolz,
Nun ruderten sie und landeten stolz,
Und saßen am Ufer weit und breit
Und quakten wie vor alter Zeit.

ANNONCE

»Ein Hündchen wird gesucht,
Das weder murrt noch beißt.
Zerbrochne Gläser frißt
Und Diamanten......«

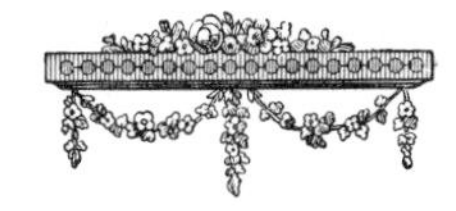

Es war einmal ein König,
Der hatt' einen großen Floh,
Den liebt' er gar nicht wenig,
Als wie seinen eignen Sohn.
Da rief er seinen Schneider,
Der Schneider kam heran:
Da, miß dem Junker Kleider
Und miß ihm Hosen an!

In Sammet und in Seide
War er nun angetan,
Hatte Bänder auf dem Kleide,
Hatt' auch ein Kreuz daran,
Und war sogleich Minister,
Und hatt' einen großen Stern.
Da wurden seine Geschwister
Bei Hof' auch große Herrn.

Und Herrn und Fraun am Hofe,
Die waren sehr geplagt,
Die Königin und die Zofe
Gestochen und genagt,
Und durften sie nicht knicken,
Und weg sie jucken nicht.
Wir knicken und ersticken
Doch gleich, wenn einer sticht.

EPIPHANIAS

Die heil'gen drei König' mit ihrem Stern,
Sie essen, sie trinken, und bezahlen nicht gern;
Sie essen gern, sie trinken gern,
Sie essen, trinken, und bezahlen nicht gern.

Die heil'gen drei König' sind kommen allhier,
Es sind ihrer drei und sind nicht ihrer vier;
Und wenn zu dreien der vierte wär',
So wär' ein heil'ger drei König mehr.

Ich erster bin der weiß' und auch der schön',
Bei Tage solltet ihr erst mich sehn!
Doch ach, mit allen Spezerein
Werd' ich sein Tag kein Mädchen mir erfrein.

Ich aber bin der braun' und bin der lang',
Bekannt bei Weibern wohl und bei Gesang.
Ich bringe Gold statt Spezerein,
Da werd' ich überall willkommen sein.

Ich endlich bin der schwarz' und bin der klein'
Und mag auch wohl einmal recht lustig sein.
Ich esse gern, ich trinke gern,
Ich esse, trinke und bedanke mich gern.

Die heil'gen drei König' sind wohlgesinnt,
Sie suchen die Mutter und das Kind;
Der Joseph fromm sitzt auch dabei,
Der Ochs und Esel liegen auf der Streu.

Wir bringen Myrrhen, wir bringen Gold,
dem Weihrauch sind die Damen hold;
Und haben wir Wein von gutem Gewächs,
So trinken wir drei so gut als ihrer sechs.

Da wir nun hier schöne Herrn und Fraun,
Aber keine Ochsen und Esel schaun,
So sind wir nicht am rechten Ort
Und ziehen unseres Weges weiter fort.

Lilis Park

Ist doch keine Menagerie
So bunt als meiner Lili ihre!
Sie hat darin die wunderbarsten Tiere
Und kriegt sie 'rein, weiß selbst nicht wie.
O wie sie hüpfen, laufen, trappeln,
Mit abgestumpften Flügeln zappeln,
Die armen Prinzen allzumal,
In nie gelöschter Liebesqual!

»Wie hieß die Fee? Lili?« – Fragt nicht nach ihr!
Kennt ihr sie nicht, so danket Gott dafür.

Welch ein Geräusch, welch ein Gegacker,
Wenn sie sich in die Türe stellt
Und in der Hand das Futterkörbchen hält!
Welch ein Gequiek, welch ein Gequacker!
Alle Bäume, alle Büsche
Scheinen lebendig zu werden:
So stürzen sich ganze Herden
Zu ihren Füßen, sogar im Bassin die Fische
Patschen ungeduldig mit den Köpfen heraus;
Und sie streut dann das Futter aus
Mit einem Blick – Götter zu entzücken,
Geschweige die Bestien. Da geht's an ein Picken,
An ein Schlürfen, an ein Hacken;

Sie stürzen einander über die Nacken,
Schieben sich, drängen sich, reißen sich,
Jagen sich, ängsten sich, beißen sich,
Und all das um ein Stücken Brot,
Das, trocken, aus den schönen Händen schmeckt,
Als hätt' es in Ambrosia gesteckt.

Aber der Blick auch, der Ton,
Wenn sie ruft: Pipi! Pipi!
Zöge den Adler Jupiters vom Thron;
Der Venus Taubenpaar,
Ja der eitle Pfau sogar,
Ich schwöre, sie kämen,
Wenn sie den Ton von weitem nur vernähmen.

Denn so hat sie aus des Waldes Nacht
Einen Bären, ungeleckt und ungezogen,
Unter ihren Beschluß hereinbetrogen,
Unter die zahme Kompanie gebracht
Und mit den andern zahm gemacht –
Bis auf einen gewissen Punkt, versteht sich!
Wie schön und ach! wie gut
Schien sie zu sein! Ich hätte mein Blut
Gegeben, um ihre Blumen zu begießen.

»Ihr sagtet: ich! Wie? Wer?«
Gut denn, ihr Herrn, grad aus: Ich bin der Bär!
In einem Filetschurz gefangen,
An einem Seidenfaden ihr zu Füßen.
Doch wie das alles zugegangen,
Erzähl' ich euch zur andern Zeit;
Dazu bin ich zu wütig heut'.

Denn ha! steh' ich so an der Ecke
Und hör' von weitem das Geschnatter,
Seh' das Geflitter, das Geflatter,
Kehr' ich mich um
Und brumm'

und renne rückwärts eine Strecke
Und seh' mich um
Und brumm'
Und laufe wieder eine Strecke,
Und kehr' doch endlich wieder um.

Dann fängt's auf einmal an zu rasen,
Ein mächt'ger Geist schnaubt aus der Nasen,
Es wildzt die innere Natur.
Was, du ein Tor, ein Häschen nur!
So ein Pipi! Eichhörnchen, Nuß zu knacken!
Ich sträube meinen borst'gen Nacken,
Zu dienen ungewöhnt.
Ein jedes aufgestutzte Bäumchen höhnt
Mich an! ich flieh' vom Boulingreen,
Vom niedlich glatt gemähten Grase.
Der Buchsbaum zieht mir eine Nase!
Ich flieh' ins dunkelste Gebüsche hin,
Durchs Gehäge zu dringen,
Über die Planken zu springen.
Mir versagt Klettern und Sprung,
Ein Zauber bleit mich nieder,
Ein Zauber häkelt mich wieder,
Ich arbeite mich ab, und bin ich matt genung,
Dann lieg' ich an gekünstelten Kaskaden
Und kau' und wein' und wälze mich halb tot,
Und ach! es hören meine Not
Nur porzellanene Oreaden.

Auf einmal! ach, es dringt
Ein seliges Gefühl durch alle meine Glieder:
Sie ist's, die dort in ihrer Laube singt!
Ich hör' die liebe, liebe Stimme wieder,
Die ganze Luft ist warm, ist blütevoll.
Ach! singt sie wohl, daß ich sie hören soll?
Ich dringe zu, tret' alle Sträuche nieder,
Die Büsche fliehn, die Bäume weichen mir,
Und so – zu ihren Füßen liegt das Tier.

Sie sieht es an: »Ein Ungeheuer! doch drollig!
Für einen Bären zu mild,
Für einen Pudel zu wild;
So zottig, täpsig, knollig!«

Sie streicht ihm mit dem Füßchen übern Rücken;
Er denkt im Paradiese zu sein.
Wie ihn alle sieben Sinne jücken!
Und sie – sieht ganz gelassen drein.
Ich küss' ihre Schuhe, kau' an den Sohlen,
So sittig, als ein Bär nur mag;
Ganz sachte heb' ich mich und schwinge mich verstohlen
Leis an ihr Knie – am günst'gen Tag
Läßt sie's geschehn und kraut mir um die Ohren
Und patscht mich mit mutwillig derbem Schlag –
Ich knurr', in Wonne neu geboren.
Dann fordert sie mit süßem, eitlem Spotte:
»Allons tout doux! eh la menotte!
Et faites Serviteur,
Comme un joli Seigneur.«
So treibt sie's fort mit Spiel und Lachen!
Es hofft der oft betrogne Tor;
Doch will er sich ein bißchen unnütz machen,
Hält sie ihn kurz als wie zuvor.

Doch hat sie auch ein Fläschchen Balsam-Feuers,
Dem keiner Erde Honig gleicht,
Wovon sie wohl einmal, von Lieb und Treu erweicht,
Um die verlechzten Lippen ihres Ungeheuers
Ein Tröpfchen mit der Fingerspitze streicht
Und wieder flieht und mich mir überläßt,
Und ich dann, losgebunden, fest
Gebannt bin, immer nach ihr ziehe,
Sie suche, schaudre, wieder fliehe –
So läßt sie den zerstörten Armen gehn,
Ist seiner Lust, ist seinen Schmerzen still;
Ha, manchmal läßt sie mir die Tür halb offen stehn,
Seitblickt mich spottend an, ob ich nicht fliehen will.

Und ich! – Götter, ist's in euren Händen,
Dieses dumpfe Zauberwerk zu enden:
Wie dank' ich, wenn ihr mir die Freiheit schafft!
Doch sendet ihr mir keine Hilfe nieder –
Nicht ganz umsonst reck' ich so meine Glieder:
Ich fühl's! ich schwör's! Noch hab' ich Kraft.

Wenn ich, liebe Lili, dich nicht liebte,
Welche Wonne gäb' mir dieser Blick!
Und doch, wenn ich, Lili, dich nicht liebte,
Fänd' ich hier und fänd' ich dort mein Glück?

Holde Lili, warst so lang
All meine Lust und all mein Sang.
Bist, ach, nun all mein Schmerz – und doch
All mein Sang bist du noch.

Die Lili, der diese Gedichte gelten, war Lili Schönemann. Goethe lernte sie in Frankfurt kennen, als er nach der Straßburger Zeit wieder bei den Eltern lebte, als junger Rechtsanwalt arbeitete und schon ein recht bekannter Dichter war. Er sah sie auf einem Fest in ihrem Elternhaus und verliebte sich sogleich in sie. Sechzehn Jahre war sie da gerade alt. 1775 verlobten sie sich, aber geheiratet haben die beiden nicht. Im Alter schrieb Goethe über Lili: »Sie war in der Tat die Erste, die ich tief und wahrhaftig liebte.«

Goethe war zweiundzwanzig Jahre alt, als er in Frankfurt, nach der Beendigung seiner Straßburger Studien, als Rechtsanwalt beim Schöffengericht zugelassen wurde. Prozesse führte er wenige, sehr zur Enttäuschung seines Vaters. Er war mit ganz anderen Dingen beschäftigt!
An einen Straßburger Freund schrieb er: »...Ich dramatisiere die Geschichte des edelsten Deutschen, rette das Andenken eines braven Mannes, und die viele Arbeit, die mich's kostet, macht mir einen wahren Zeitvertreib!«
Der brave Mann war Götz von Berlichingen. Er lebte von 1480 bis 1562 und war ein fränkischer Reichsritter.
Man kennt den Ritter Götz seiner Hand und einer allgemein bekannten Redewendung wegen. Die Redewendung kennst du bestimmt. – Die eiserne Hand laß dir erklären:
Sie mußte die fehlende rechte Hand des Ritters ersetzen, die er 1504 im Landshuter Erbfolgekrieg verloren hatte. Im Jagsthausener Götzmuseum kann man die eiserne Hand heute besichtigen. In der Geschichte der Orthopädie ist sie eine bahnbrechende Erfindung in der Prothesenentwicklung. Götz konnte mit der linken Hand die Finger der eisernen Hand in bestimmte Stellungen einbiegen und sie hinterher, nachdem er auf einen seitlich angebrachten Knopf gedrückt hatte, wieder in die Ausgangsstellung zurückspringen lassen. Das war zu Beginn des sechzehnten Jahrhunderts, das eine höchst unruhige und unsichere Zeit war.
Götz war häufig in Fehden verwickelt, dabei mag es ihm sowohl um die Gerechtigkeit wie um erlebnisreiche Kämpfe gegangen sein. 1525 führte er während des Bauernkrieges die Aufständischen im Odenwald an und kam danach in Augsburg zwei Jahre in den Kerker.
Diese schillernde Figur hatte den jungen Goethe angeregt. Er schrieb die erste Fassung in sechs Wochen und las sie der

Schwester vor. Zu den geschichtlichen Daten dichtete er vieles neu hinzu, machte ein Theaterstück mit vielen bunten Szenen daraus. Seinem Götz geht es um Treue, Glauben, Recht und Gerechtigkeit. Er spricht eine unverfälschte, kräftige Sprache und hat wahre, tiefgehende Gefühle.

Aus dem »Götz von Berlichingen«:
Elisabeth, Götz' Frau, Maria, seine Schwester und Karl, sein Söhnchen warten auf seine Rückkehr:

Karl. Ich bitte dich, liebe Tante, erzähl mir das noch einmal vom frommen Kind, 's is gar zu schön.

Maria. Erzähl du mir's, kleiner Schelm, da will ich hören, ob du achtgibst.

Karl. Wart e bis, ich will mich bedenken. – Es war einmal – ja – es war einmal ein Kind, und seine Mutter war krank, da ging das Kind hin –

Maria. Nicht doch. Da sagte die Mutter: Liebes Kind –

Karl. Ich bin krank –

Maria. Und kann nicht ausgehn –

Karl. Und gab ihm Geld und sagte: Geh hin, und hole dir ein Frühstück. Da kam ein armer Mann –

Maria. Das Kind ging, da begegnet ihm ein alter Mann, der war – nun, Karl!

Karl. Der war – alt –

Maria. Freilich! der kaum mehr gehen konnte, und sagte: Liebes Kind –

Karl. Schenk mir was, ich hab kein Brot gessen gestern und heut. Da gab ihm's Kind das Geld –

Maria. Das für sein Frühstück sein sollte.

Karl. Da sagte der alte Mann –

Maria. Da nahm der alte Mann das Kind –

Karl. Bei der Hand, und sagte – und ward ein schöner glänziger Heiliger, und sagte: – liebes Kind –

Maria. Für deine Wohltätigkeit belohnt dich die Mutter Gottes durch mich: welchen Kranken du anrührst –

Karl. Mit der Hand – es war die rechte, glaub ich.

Maria. Ja.

Karl. Der wird gleich gesund.

Maria. Da lief das Kind nach Haus und konnt für Freuden nichts reden.

Karl. Und fiel seiner Mutter um den Hals und weinte für Freuden –

Maria. Da rief die Mutter: Wie ist mir! und war – nun Karl!

Karl. Und war – und war –

Maria. Du gibst schon nicht acht! – und war gesund. Und das Kind kurierte König und Kaiser, und wurde so reich, daß es ein großes Kloster baute.

Elisabeth. Ich kann nicht begreifen, wo mein Mann bleibt. Schon fünf Tag und Nächte, daß er weg ist, und er hoffte so bald seinen Streich auszuführen.

Maria. Mich ängstigt's lang. Wenn ich so einen Mann haben sollte, der sich immer Gefahren aussetzte, ich stürbe im ersten Jahr.

Elisabeth. Dafür dank ich Gott, daß er mich härter zusammengesetzt hat.

Karl. Aber muß dann der Vater ausreiten, wenn's so gefährlich ist?

Maria. Es ist sein guter Wille so.

Elisabeth. Wohl muß er, lieber Karl.

Karl. Warum?

Elisabeth. Weißt du noch, wie er das letzte Mal ausritt, da er dir Wecken mitbrachte?

Karl. Bringt er mir wieder mit?

Elisabeth. Ich glaub wohl. Siehst du, da war ein Schneider von Stuttgart, der war ein trefflicher Bogenschütz und hatte zu Köln auf'm Schießen das Beste gewonnen.

Karl. War's viel?

Elisabeth. Hundert Taler. Und darnach wollten sie's ihm nicht geben.

Maria. Gelt, das ist garstig, Karl?

Karl. Garstige Leut!

Elisabeth. Da kam der Schneider zu deinem Vater und bat ihn, er möchte ihm zu seinem Geld verhelfen. Und da ritt er aus und nahm den Kölnern ein paar Kaufleute weg, und plagte sie so lang, bis sie das Geld herausgaben. Wärst du nicht auch ausgeritten?

Karl. Nein! da muß man durch einen dicken, dicken Wald, sind Zigeuner und Hexen drin.

Elisabeth. Ist ein rechter Bursch, fürchtet sich vor Hexen.

Maria. Du tust besser, Karl, leb du einmal auf deinem Schloß als ein frommer christlicher Ritter. Auf seinen eigenen Gütern findet man zum Wohltun Gelegenheit genug. Die rechtschaffensten Ritter begehen mehr Ungerechtigkeit als Gerechtigkeit auf ihren Zügen.

Schloßhof

Georg, der Knappe des Ritters, singt im Stall:

Es fing ein Knab ein Vögelein,
H'm! H'm!
Da lacht er in den Käfig 'nein,
Hm! Hm!

So! So!
H'm! H'm!
Der freut sich traun so läppisch,
H'm! H'm!
Und griff hinein so täppisch,
Hm! Hm!
So! So!
H'm! H'm!
Da flog das Meislein auf ein Haus,
H'm! H'm!
Und lacht den dummen Buben aus,
Hm! Hm!
So! So!
H'm! H'm!

Götz. Wie steht's?

Georg führt sein Pferd heraus: Sie sind gesattelt.

Götz. Du bist fix.

Georg. Wie der Vogel aus dem Käfig.

Götz. Ihr habt eure Büchsen? Nicht doch! Geht hinauf und nehmt die besten aus dem Rüstschrank, es geht in einem hin. Wir wollen vorausreiten.

Georg. Hm! Hm!
So! So!
H'm! H'm!

Götz, Elisabeth, Georg (Götz' Knappe), Knechte bei Tisch:

Götz. Es lebe die Freiheit!

Alle. Es lebe die Freiheit!

Götz. Und wenn die uns überlebt, können wir ruhig sterben. Denn wir sehen im Geist unsere Enkel glücklich und die Kaiser unsrer Enkel glücklich. Wenn die Diener der Fürsten so edel und frei dienen wie

	ihr mir, wenn die Fürsten dem Kaiser dienen, wie ich ihm dienen möchte –
Georg.	Da müßt's viel anders werden.
Götz.	So viel nicht, als es scheinen möchte. Hab ich nicht unter den Fürsten treffliche Menschen gekannt, und sollte das Geschlecht ausgestorben sein?... Ich erinnere mich zeitlebens, wie der Landgraf von Hanau eine Jagd gab, und die Fürsten und Herrn, die zugegen waren, unter freiem Himmel speisten und das Landvolk all herbeilief, sie zu sehen. Das war keine Maskerade, die er sich selbst zu Ehren angestellt hatte. Aber die vollen, runden Köpfe der Burschen und Mädel, die roten Backen alle, und die wohlhäbigen Männer und stattlichen Greise, und alles fröhliche Gesichter, und wie sie teilnahmen an der Herrlichkeit ihres Herrn, der auf Gottes Boden unter ihnen sich ergetzte!
Georg.	Das war ein Herr, vollkommen wie Ihr.

Nacht, im wilden Wald, Zigeunerlager,
Zigeunermutter, Zigeunerhauptmann, Gesellen:

Hauptmann.	Hört ihr den wilden Jäger?
Erster Zigeuner.	Er zieht grad über uns hin.
Hauptmann.	Wie die Hunde bellen! Wau! Wau!
Zweiter Zigeuner.	Die Peitschen knallen.
Dritter Zigeuner.	Die Jäger jauchzen holla ho!
Mutter.	Bringt ja des Teufels sein Gepäck!
Hauptmann.	Haben im Trüben gefischt. Die Bauern rauben selbst, ist's uns wohl vergönnt.
Zweite Zigeunerin.	Was hast du, Wolf?
Wolf.	Einen Hasen da, und einen Hahn. Ein'n

	Bratspieß. Ein Bündel Leinwand. Drei Kochlöffel und ein'n Pferdezaum.
Sticks.	Ein wullen Deck hab ich, ein paar Stiefeln und Zunder und Schwefel.
Mutter.	Ist alles pudelnaß, wollen's trocknen, gebt her.
Hauptmann.	Horch, ein Pferd! Geht! Seht, was ist.

Götz zu Pferd

Götz.	Gott sei Dank? dort seh ich Feuer, sind Zigeuner. Meine Wunden verbluten, die Feinde hinterher. Heiliger Gott, du endigst gräßlich mit mir!
Hauptmann.	Ist's Friede, daß du kommst?
Götz.	Ich flehe Hilfe von euch. Meine Wunden ermatten mich. Helft mir vom Pferd!
Hauptmann.	Helft ihm! Ein edler Mann, an Gestalt und Wort.
Wolf, leise.	Es ist Götz von Berlichingen.
Hauptmann.	Seid willkommen! Alles ist Euer, was wir haben.
Götz.	Dank euch!
Hauptmann.	Kommt in mein Zelt.

GOTTFRIED VON BERLICHINGEN

Als Herzog Karl August im Oktober 1775 Goethe in Frankfurt besuchte, gingen sie einmal zusammen am Fluß spazieren. Sie kamen an zwei streitenden Männern vorbei, die sich böse beschimpften. »Leck mich am Arsch!« schrie der eine den anderen an. Der Herzog wandte sich lächelnd an Goethe: »Es muß doch sehr erhebend für den Dichter sein, wenn er merkt, wie sein Werk schon im Volke bekannt ist, denn wenn ich nicht irre, habe ich eben die berühmte Stelle aus Ihrem ›Götz von Berlichingen‹ gehört!«

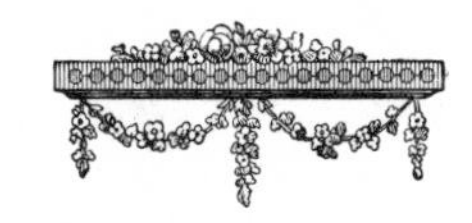

Balladen sind erzählende Gedichte, häufig haben sie die Form eines Gesprächs. Von Schiller und Goethe gibt es viele Balladen, auch von anderen Dichtern des 19. Jahrhundert; manche sind regelrecht aufregend, düster und spannend.
Die erste Ballade, die du hier findest, die Geschichte von der wandelnden Glocke, stand früher in den Lesebüchern. Deine Großmutter hat sie vielleicht noch auswendig lernen müssen! Als die Prügelstrafe in der Schule abgeschafft wurde, wandelte auch die »Glocke« von dannen.

DIE WANDELNDE GLOCKE

Es war ein Kind, das wollte nie
zur Kirche sich bequemen,
Und Sonntags fand es stets ein Wie,
Den Weg ins Feld zu nehmen.

Die Mutter sprach: »Die Glocke tönt,
Und so ist dir's befohlen,
Und hast du dich nicht hingewöhnt,
Sie kommt und wird dich holen.«

Das Kind, es denkt: die Glocke hängt
Da droben auf dem Stuhle.
Schon hat's den Weg ins Feld gelenkt,
Als lief' es aus der Schule.

Die Glocke, Glocke tönt nicht mehr,
Die Mutter hat gefackelt.
Doch welch ein Schrecken! Hinterher
Die Glocke kommt gewackelt.

Sie wackelt schnell, man glaubt es kaum;
Das arme Kind im Schrecken,
Es läuft, es kommt als wie im Traum;
die Glocke wird es decken.

Doch nimmt es richtig seinen Husch,
Und mit gewandter Schnelle
Eilt es durch Anger, Feld und Busch
Zur Kirche, zur Kapelle.

Und jeden Sonn- und Feiertag
Gedenkt es an den Schaden,
Läßt durch den ersten Glockenschlag
Nicht in Person sich laden.

Der Zauberlehrling

Hat der alte Hexenmeister
Sich doch einmal wegbegeben!
Und nun sollen seine Geister
Auch nach meinem Willen leben.
Seine Wort' und Werke
Merkt' ich und den Brauch,
Und mit Geistesstärke
Tu' ich Wunder auch.

Walle! walle
Manche Strecke
Daß zum Zwecke
Wasser fließe,
Und mit reichem, vollem Schwalle
Zu dem Bade sich ergieße!

Und nun komm, du alter Besen!
Nimm die schlechten Lumpenhüllen!
Bist schon lange Knecht gewesen;
Nun erfülle meinen Willen!
Auf zwei Beinen stehe,
Oben sei ein Kopf,
Eile nun und gehe
Mit dem Wassertopf!

Walle! walle
Manche Strecke
Daß zum Zwecke
Wasser fließe,
Und mit reichem, vollem Schwalle
Zu dem Bade sich ergieße!

Seht, er läuft zum Ufer nieder;
Wahrlich! ist schon an dem Flusse,
Und mit Blitzesschnelle wieder
Ist er hier mit raschem Gusse.
Schon zum zweiten Male!
Wie das Becken schwillt!

Wie sich jede Schale
Voll mit Wasser füllt!

Stehe! Stehe!
Denn wir haben
Deiner Gaben
Vollgemessen! –
Ach, ich merk' es! Wehe! wehe!
Hab' ich doch das Wort vergessen!

Ach, das Wort, worauf am Ende
Er das wird, was er gewesen.
Ach, er läuft und bringt behende!
Wärst du doch der alte Besen!
Immer neue Güsse
Bringt er schnell herein,
Ach! und hundert Flüsse
Stürzen auf mich ein.

Nein, nicht länger
Kann ich's lassen;
Will ihn fassen.
Das ist Tücke!
Ach! nun wird mir immer bänger!
Welche Miene! welche Blicke!

O, du Ausgeburt der Hölle!
Soll das ganze Haus ersaufen?
Seh' ich über jede Schwelle
Doch schon Wasserströme laufen.
Ein verruchter Besen,
Der nicht hören will!
Stock, der du gewesen,
Steh doch wieder still!

Willst's am Ende
Gar nicht lassen?
Will dich fassen,
Will dich halten,

Und das alte Holz behende
Mit dem scharfen Beile spalten.

Seht, da kommt er schleppend wieder!
Wie ich mich nun auf dich werfe,
Gleich, o Kobold, liegst du nieder;
Krachend trifft die glatte Schärfe!
Wahrlich, brav getroffen!
Seht, er ist entzwei!
Und nun kann ich hoffen,
Und ich atme frei!

Wehe! wehe!
Beide Teile
Stehn in Eile
Schon als Knechte
Völlig fertig in die Höhe!
Helft mir, ach! ihr hohen Mächte!

Und sie laufen! Naß und nässer
Wird's im Saal und auf den Stufen.
Welch entsetzliches Gewässer!
Herr und Meister! hör' mich rufen! –
Ach, da kommt der Meister!
Herr, die Not ist groß!
Die ich rief, die Geister,
Werd' ich nun nicht los.

»In die Ecke,
Besen! Besen!
Seid's gewesen!
Denn als Geister
Ruft euch nur zu seinem Zwecke
Erst hervor der alte Meister.«

Nichts als Ärger hat man mit euch AZUBIS!

Erlkönig

Wer reitet so spät durch Nacht und Wind?
Es ist der Vater mit seinem Kind;
Er hat den Knaben wohl in dem Arm,
Er faßt ihn sicher, er hält ihn warm. –

Mein Sohn, was birgst du so bang dein Gesicht? –
Siehst, Vater, du den Erlkönig nicht?
Den Erlenkönig mit Kron' und Schweif? –
Mein Sohn, es ist ein Nebelstreif. –

»Du liebes Kind, komm, geh mit mir!
Gar schöne Spiele spiel' ich mit dir;
Manch' bunte Blumen sind an dem Strand;
Meine Mutter hat manch' gülden Gewand.«

Mein Vater, mein Vater, und hörest du nicht,
Was Erlenkönig mir leise verspricht? –
Sei ruhig, bleibe ruhig, mein Kind!
In dürren Blättern säuselt der Wind. –

»Willst, feiner Knabe, du mit mir gehn?
Meine Töchter sollen dich warten schön;
Meine Töchter führen den nächtlichen Reihn
Und wiegen und tanzen und singen dich ein.«

Mein Vater, mein Vater, und siehst du nicht dort
Erlkönigs Töchter am düstern Ort? –
Mein Sohn, mein Sohn, ich seh' es genau;
Es scheinen die alten Weiden so grau. –

»Ich liebe dich, mich reizt deine schöne Gestalt;
Und bist du nicht willig, so brauch' ich Gewalt.« –
Mein Vater, mein Vater, jetzt faßt er mich an!
Erlkönig hat mir ein Leids getan! –

Dem Vater grauset's, er reitet geschwind,
Er hält in den Armen das ächzende Kind,
Erreicht den Hof mit Mühe und Not;
In seinen Armen das Kind war tot.

Ballade vom Vertriebenen und zurückkehrenden Grafen

»Herein, o du Guter! du Alter, herein!
Hier unten im Saale, da sind wir allein,
Wir wollen die Pforte verschließen.
Die Mutter, sie betet, der Vater im Hain
Ist gangen, die Wölfe zu schießen.
O sing uns ein Märchen, o sing es uns oft,
Daß ich und der Bruder es lerne,
Wir haben schon längst einen Sänger gehofft,
Die Kinder, sie hören es gerne.«

»Im nächtlichen Schrecken, im feindlichen Graus
Verläßt er das hohe, das herrliche Haus.
Die Schätze, die hat er vergraben.
Der Graf nun so eilig zum Pförtchen hinaus,
Was mag er im Arme denn haben?
Was birget er unter dem Mantel geschwind?
Was trägt er so rasch in die Ferne?
Ein Töchterlein ist es, da schläft nun das Kind.« –
Die Kinder, sie hören es gerne.

»Nun hellt sich der Morgen, die Welt ist so weit,
In Tälern und Wäldern die Wohnung bereit,
In Dörfern erquickt man den Sänger,
So schreitet und heischt er unbedenkliche Zeit,
Der Bart wächst ihm länger und länger;
Doch wächst in dem Arme das liebliche Kind,
Wie unter dem glücklichsten Sterne,
Geschützt in dem Mantel vor Regen und Wind.« –
Die Kinder, sie hören es gerne.

»Und immer sind weiter die Jahre gerückt,
Der Mantel entfärbt sich, der Mantel zerstückt,
Er könnte sie länger nicht fassen.
Der Vater, er schaut sie, wie ist er beglückt!
Er kann sich für Freude nicht lassen;

So schön und so edel erscheint sie zugleich,
Entsprossen aus tüchtigem Kerne,
Wie macht sie den Vater, den teuren, so reich!« –
Die Kinder, sie hören es gerne.

Da reitet ein fürstlicher Ritter heran,
Sie recket die Hand aus, der Gabe zu nahn,
Almosen will er nicht geben.
Er fasset das Händchen so kräftiglich an:
›Die will ich‹, so ruft er, ›aufs Leben!‹
›Erkennst du‹, erwidert der Alte, ›den Schatz,
Erhebst du zur Fürstin sie gerne;
Sie sei dir verlobet auf grünendem Platz.« –
Die Kinder, sie hören es gerne.

»Sie segnet der Priester am heiligen Ort,
Mit Lust und mit Unlust nun ziehet sie fort,
Sie möchte vom Vater nicht scheiden.
Der Alte, er wandelt nun hier und bald dort,
Er träget in Freuden sein Leiden.
So hab' ich mir Jahre die Tochter gedacht,
Die Enkelein wohl in der Ferne;
Sie segn' ich bei Tage, sie segn' ich bei Nacht.« –
Die Kinder, sie hören es gerne.

Er segnet die Kinder; da poltert's am Tor,
Der Vater, da ist er! Sie springen hervor,
Sie können den Alten nicht bergen –
»Was lockst du die Kinder! du Bettler! du Tor!
Ergreift ihn, ihr eisernen Schergen!
Zum tiefsten Verlies den Verwegenen fort!«
Die Mutter vernimmt's in der Ferne,
Sie eilet, sie bittet mit schmeichelndem Wort –
Die Kinder, sie hören es gerne.

Die Schergen, sie lassen den Würdigen stehn,
Und Mutter und Kinder, sie bitten so schön;
Der fürstliche Stolze verbeißet
Die grimmige Wut, ihn entrüstet das Flehn,
Bis endlich sein Schweigen zerreißet:

»Du niedrige Brut! du vom Bettlergeschlecht!
Verfinsterung fürstlicher Sterne!
Ihr bringt mir Verderben! Geschieht mir doch recht...« –
Die Kinder, sie hören's nicht gerne.

Noch stehet der Alte mit herrlichem Blick,
Die eisernen Schergen, sie treten zurück,
Es wächst nur das Toben und Wüten:
»Schon lange verflucht' ich mein eh'liches Glück,
Das sind nun die Früchte der Blüten!
Man leugnete stets, und man leugnet mit Recht,
Daß je sich der Adel erlerne,
Die Bettlerin zeugte mir Bettlergeschlecht.« –
Die Kinder, sie hören's nicht gerne.

»Und wenn euch der Gatte, der Vater verstößt,
Die heiligsten Bande verwegentlich löst,
So kommt zu dem Vater, dem Ahnen!
Der Bettler vermag, so ergraut und entblößt,
Euch herrliche Wege zu bahnen.
Die Burg, die ist meine! Du hast sie geraubt,
Mich trieb dein Geschlecht in die Ferne;
Wohl bin ich mit köstlichen Siegel beglaubt!« –
Die Kinder, sie hören es gerne.

»Rechtmäßiger König, er kehret zurück,
Den Treuen verleiht er entwendetes Glück,
Ich löse die Siegel der Schätze.«
So rufet der Alte mit freundlichem Blick:
»Euch künd' ich die milden Gesetze.
Erhole dich, Sohn! Es entwickelt sich gut,
Heut einen sich selige Sterne,
Die Fürstin, sie zeugte dir fürstliches Blut.« –
Die Kinder, sie hören es gerne.

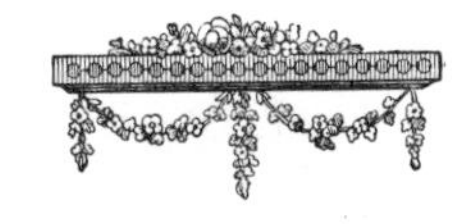

Der Fischer

Das Wasser rauscht', das Wasser schwoll,
Ein Fischer saß daran,
Sah nach dem Angel ruhevoll,
Kühl bis ans Herz hinan.
Und wie er sitzt, und wie er lauscht,
Teilt sich die Flut empor;
Aus dem bewegten Wasser rauscht
Ein feuchtes Weib hervor.

Sie sang zu ihm, sie sprach zu ihm:
»Was lockst du meine Brut
Mit Menschenwitz und Menschenlist
Hinauf in Todesglut?
Ach wüßtest du, wie's Fischlein ist
so wohlig auf dem Grund,
Du stiegst herunter, wie du bist,
Und würdest erst gesund.

Labt sich die liebe Sonne nicht,
Der Mond sich nicht im Meer!
Kehrt wellenatmend ihr Gesicht
Nicht doppelt schöner her?
Lockt dich der tiefe Himmel nicht,
Das feuchtverklärte Blau!
Lockt dich dein eigen Angesicht
Nicht her in ew'gen Tau!«

Das Wasser rauscht', das Wasser schwoll,
Netzt' ihm den nackten Fuß;
Sein Herz wuchs ihm so sehnsuchtsvoll,
Wie bei der Liebsten Gruß.

Sie sprach zu ihm, sie sang zu ihm;
Da war's um ihn geschehn:
Halb zog sie ihn, halb sank er hin,
Und ward nicht mehr gesehn.

LEGENDE

Als noch, verkannt und sehr gering,
Unser Herr auf der Erde ging,
Und viele Jünger sich zu ihm fanden,
Die sehr selten sein Wort verstanden,
Liebt' er sich gar über die Maßen,
Seinen Hof zu halten auf der Straßen,
Weil unter des Himmels Angesicht
Man immer besser und freier spricht.
Er ließ sie da die höchsten Lehren
Aus seinem heiligen Munde hören;
Besonders durch Gleichnis und Exempel
Macht' er einen jeden Markt zum Tempel.

So schlendert' er in Geistes Ruh'
Mit ihnen einst einem Städtchen zu,
Sah etwas blinken auf der Straß',
Das ein zerbrochen Hufeisen was.
Er sagte zu Sankt Peter drauf:
»Heb doch einmal das Eisen auf!«
Sankt Peter war nicht aufgeräumt,
Er hatte soeben im Gehen geträumt,
So was vom Regiment der Welt,
Was einem jeden wohlgefällt:
Denn im Kopf hat das keine Schranken;
Das waren so seine liebsten Gedanken.
Nun war der Fund ihm viel zu klein,
Hätte müssen Kron' und Zepter sein;
Aber wie sollt' er seinen Rücken
Nach einem halben Hufeisen bücken?
Er also sich zur Seite kehrt
Und tut, als hätt' er's nicht gehört.

Der Herr nach seiner Langmut drauf
hebt selber das Hufeisen auf
Und tut auch weiter nicht dergleichen.
Als sie nun bald die Stadt erreichen,
Geht er vor eines Schmiedes Tür,

Nimmt von dem Mann drei Pfennig dafür.
Und als sie über den Markt nun gehen,
Sieht er daselbst schöne Kirschen stehen,
Kauft ihrer, so wenig oder so viel,
Als man für einen Dreier geben will,
Die er sodann nach seiner Art
Ruhig im Ärmel aufbewahrt.

Nun ging's zum andern Tor hinaus,
Durch Wies' und Felder ohne Haus;
Auch war der Weg von Bäumen bloß,
Die Sonne schien, die Hitz' war groß,
So daß man viel an solcher Stätt'
Für einen Trunk Wasser gegeben hätt'.
Der Herr geht immer voraus vor allen,
Läßt unversehens eine Kirsche fallen.
Sankt Peter war gleich dahinter her,
Als wenn es ein goldner Apfel wär';
Das Beerlein schmeckte seinem Gaum'.
Der Herr nach einem kleinen Raum
Ein ander Kirschlein zur Erde schickt,
Wonach Sankt Peter schnell sich bückt.
So läßt der Herr ihn seinen Rücken
Gar vielmal nach den Kirschen bücken.
Das dauert eine ganze Zeit.
Dann sprach der Herr mit Heiterkeit:
»Tätst du zur rechten Zeit dich regen,
Hättst du's bequemer haben mögen.
Wer geringe Ding' wenig acht't,
Sich um geringere Mühe macht.«

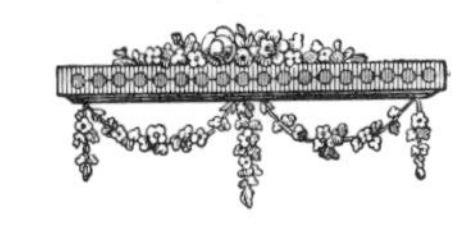

Der Schatzgräber

Arm am Beutel, krank am Herzen,
Schleppt' ich meine langen Tage.
Armut ist die größte Plage,
Reichtum ist das höchste Gut!
Und zu enden meine Schmerzen,
Ging ich, einen Schatz zu graben.
»Meine Seele sollst du haben!«
Schrieb ich hin mit eignem Blut.

Und so zog ich Kreis' um Kreise,
Stellte wunderbare Flammen,
Kraut und Knochenwerk zusammen:
Die Beschwörung war vollbracht.
Und auf die gelernte Weise
Grub ich nach dem alten Schatze
Auf dem angezeigten Platze.
Schwarz und stürmisch war die Nacht.

Und ich sah ein Licht von weiten,
Und es kam gleich einem Sterne
Hinten aus der fernsten Ferne,
Eben als es zwölfe schlug.
Und da galt kein Vorbereiten.
Heller ward's mit einem Male
Von dem Glanz der vollen Schale,
Die ein schöner Knabe trug.

Holde Augen sah ich blinken
Unter dichtem Blumenkranze;
In des Trankes Himmelsglanze
Trat er in den Kreis herein.
Und er hieß mich freundlich trinken;
Und ich dacht': es kann der Knabe
Mit der schönen lichten Gabe
Wahrlich nicht der Böse sein.

»Trinke Mut des reinen Lebens!
Dann verstehst du die Belehrung,
Kommst mit ängstlicher Beschwörung
Nicht zurück an diesen Ort.
Grabe hier nicht mehr vergebens!
Tages Arbeit, abends Gäste!
Saure Wochen, frohe Feste!
Sei dein künftig Zauberwort.«

Hochzeitlied

Wir singen und sagen vom Grafen so gern,
Der hier in dem Schlosse gehauset,
Da, wo ihr den Enkel des seligen Herrn,
Den heute vermählten, beschmauset.
Nun hatte sich jener im heiligen Krieg
Zu Ehren gestritten durch mannigen Sieg,
Und als er zu Hause vom Rösselein stieg,

Da fand er sein Schlösselein oben;
Doch Diener und Habe zerstoben.

Da bist du nun, Gräflein, da bist du zu Haus,
Das Heimische findest du schlimmer!
Zum Fenster, da ziehen die Winde hinaus,
Sie kommen durch alle die Zimmer.
Was wäre zu tun in der herbstlichen Nacht?
So hab ich doch manche noch schlimmer vollbracht,
Der Morgen hat alles wohl besser gemacht.
Drum rasch bei der mondlichen Helle
Ins Bett, in das Stroh, ins Gestelle.

Und als er im willigen Schlummer so lag,
Bewegt es sich unter dem Bette.
Die Ratte, die raschle, so lange sie mag!
Ja, wenn sie ein Bröselein hätte!
Doch siehe! da stehet ein winziger Wicht,
Ein Zwerglein so zierlich mit Ampelenlicht,
Mit Rednergebärden und Sprechergewicht,
Zum Fuß des ermüdeten Grafen,
Der, schläft er nicht, möcht' er doch schlafen.

»Wir haben uns Feste hier oben erlaubt,
Seitdem du die Zimmer verlassen,
Und weil wir dich weit in der Ferne geglaubt,
So dachten wir eben zu prassen.
Und wenn du vergönnest, und wenn dir nicht graut,
So schmausen die Zwerge, behaglich und laut,
Zu Ehren der reichen, der niedlichen Braut.«
Der Graf im Behagen des Traumes:
»Bedienet euch immer des Raumes!«

Da kommen drei Reiter, sie reiten hervor,
Die unter dem Bette gehalten;
Dann folget ein singendes, klingendes Chor
Possierlicher, kleiner Gestalten;
Und Wagen auf Wagen mit allem Gerät,
Daß einem so Hören und Sehen vergeht,
Wie's nur in den Schlössern der Könige steht;

Zuletzt auf vergoldetem Wagen
Die Braut und die Gäste getragen.

So rennet nun alles in vollem Galopp
Und kürt sich im Saale sein Plätzchen;
Zum Drehen und Walzen und lustigen Hopp
Erkieset sich jeder ein Schätzchen.
Da pfeift es und geigt es und klinget und klirrt,
Da ringelt's und schleift es und rauschet und wirrt,
Da pispert's und knistert's und flüstert's und schwirrt
Das Gräflein, es blicket hinüber,
Es dünkt ihn, als läg' er im Fieber.

Nun dappelt's und rappelt's und klappert's im Saal
Von Bänken und Stühlen und Tischen,
Da will nun ein jeder am festlichen Mahl
Sich neben dem Liebchen erfrischen;
Sie tragen die Würste, die Schinken so klein
Und Braten und Fisch und Geflügel herein;
Es kreiset beständig der köstliche Wein.
Das toset und koset so lange,
Verschwindet zuletzt mit Gesange. –

Und sollen wir singen, was weiter geschehn,
So schweige das Toben und Tosen!
Denn was er, so artig, im kleinen gesehn,
Erfuhr er, genoß er im großen.
Trompeten und klingender, singender Schall,
Und Wagen und Reiter und bräutlicher Schwall,
Sie kommen und zeigen und neigen sich all',
Unzählige, selige Leute.
So ging es und geht es noch heute.

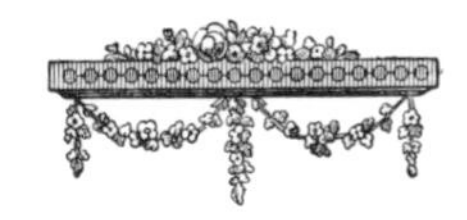

Help!

Der Totentanz

Der Türmer, der schaut zu Mitten der Nacht
Hinab auf die Gräber in Lage;
Der Mond, der hat alles ins Helle gebracht;
Der Kirchhof, er liegt wie am Tage.
Da regt sich ein Grab und ein anderes dann:
Sie kommen hervor, ein Weib da, ein Mann,
In weißen und schleppenden Hemden.

Das reckt nun, es will sich ergetzen sogleich,
Die Knöchel zur Runde, zum Kranze,
So arm und so jung, und so alt und so reich;
Doch hindern die Schleppen am Tanze.
Und weil hier die Scham nun nicht weiter gebeut,
Sie schütteln sich alle, da liegen zerstreut
Die Hemdelein über den Hügeln.

Nun hebt sich der Schenkel, nun wackelt das Bein,
Gebärden da gibt es vertrackte;
Dann klippert's und klappert's mitunter hinein,
Als schlüg' man die Hölzlein zum Takte.
Das kommt nun dem Türmer so lächerlich vor;
Da raunt ihm der Schalk, der Versucher, ins Ohr:
Geh! hole dir einen der Laken.

Getan wie gedacht! und er flüchtet sich schnell
Nun hinter geheiligte Türen.
Der Mond, und noch immer er scheinet so hell
Zum Tanz, den sie schauderlich führen.
Doch endlich verlieret sich dieser und der,
Schleicht eins nach dem andern gekleidet einher,
Und, husch, ist es unter dem Rasen.

Nur einer, der trippelt und stolpert zuletzt
Und tappet und grapst an den Grüften;
Doch hat kein Geselle so schwer ihn verletzt,
Er wittert das Tuch in den Lüften.
Er rüttelt die Turmtür, sie schlägt ihn zurück,
Geziert und gesegnet, dem Türmer zum Glück,
Sie blinkt von metallenen Kreuzen.

Das Hemd muß er haben, da rastet er nicht,
Da gilt auch kein langes Besinnen,
Den gotischen Zierat ergreift nun der Wicht
Und klettert von Zinne zu Zinnen.
Nun ist's um den armen, den Türmer getan!
Es ruckt sich von Schnörkel zu Schnörkel hinan,
Langbeinigen Spinnen vergleichbar.

Der Türmer erbleichet, der Türmer erbebt,
Gern gäb er ihn wieder, den Laken.
Da häkelt – jetzt hat er am längsten gelebt –
Den Zipfel ein eiserner Zacken.
Schon trübet der Mond sich verschwindenden Scheins,
Die Glocke, sie donnert ein mächtiges Eins,
Und unten zerschellt das Gerippe.

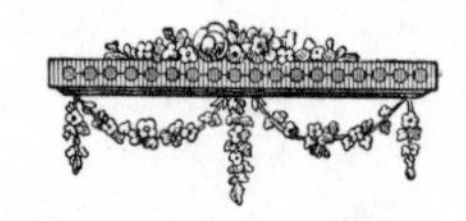

DER SÄNGER

»Was hör' ich draußen vor dem Tor,
Was auf der Brücke schallen?
Laß den Gesang vor unserm Ohr
Im Saale widerhallen!«
Der König sprach's, der Page lief;
Der Knabe kam, der König rief:
»Laßt mir herein den Alten!«

»Gegrüßet seid mir, edle Herrn,
Gegrüßt ihr, schöne Damen!
Welch reicher Himmel! Stern bei Stern!
Wer kennet ihre Namen?
Im Saal voll Pracht und Herrlichkeit
Schließt, Augen, euch; hier ist nicht Zeit,
Sich staunend zu ergetzen.«

Der Sänger drückt' die Augen ein
Und schlug in vollen Tönen;
Die Ritter schauten mutig drein
Und in den Schoß die Schönen.
Der König, dem das Lied gefiel,
Ließ, ihn zu ehren für sein Spiel,
Eine goldne Kette holen.

»Die goldne Kette gib mir nicht,
Die Kette gib den Rittern,
Vor deren kühnem Angesicht
Der Feinde Lanzen splittern!
Gib sie dem Kanzler, den du hast,
Und laß ihn noch die goldne Last
Zu andern Lasten tragen!

Ich singe, wie der Vogel singt,
Der in den Zweigen wohnet;
Das Lied, das aus der Kehle dringt,
Ist Lohn, der reichlich lohnet.
Doch darf ich bitten, bitt' ich eins:
Laß mir den besten Becher Weins
In purem Golde reichen!«

Er setzt' ihn an, er trank ihn aus:
»O Trank voll süßer Labe!
O wohl dem hochbeglückten Haus,
Wo das ist kleine Gabe!
Ergeht's Euch wohl, so denkt an mich,
Und danket Gott so warm, als ich
Für diesen Trunk Euch danke.«

Der Getreue Eckart

»O wären wir weiter, o wär' ich zu Haus!
Sie kommen; da kommt schon der nächtliche Graus;
Sie sind's, die unholdigen Schwestern.
Sie streifen heran, und sie finden uns hier,
Sie trinken das mühsam geholte, das Bier,
Und lassen nur leer uns die Krüge.«

So sprechen die Kinder und drücken sich schnell;
Da zeigt sich vor ihnen ein alter Gesell:
»Nur stille, Kind! Kinderlein, stille!
Die Hulden, sie kommen von durstiger Jagd,
Und laßt ihr sie trinken, wie's jeder behagt,
Dann sind sie euch hold, die Unholden.«

Gesagt, so geschehn! und da naht sich der Graus
Und siehet so grau und so schattenhaft aus,
Doch schlürft es und schlampft es aufs beste.
Das Bier ist verschwunden, die Krüge sind leer;
Nun saust es und braust es, das wütige Heer,
Ins weite Getal und Gebirge.

Die Kinderlein ängstlich gen Hause so schnell,
Gesellt sich zu ihnen der fromme Gesell:
»Ihr Püppchen, nur seid mir nicht traurig.« –
»Wir kriegen nun Schelten und Streich' bis aufs Blut.« –
»Nein, keineswegs, alles geht herrlich und gut,
Nur schweiget und horchet wie Mäuslein.

Und der es euch anrät, und der es befiehlt,
Er ist es, der gern mit den Kindelein spielt,
Der alte Getreue, der Eckart.
Vom Wundermann hat man euch immer erzählt,
Nur hat die Bestätigung jedem gefehlt;
Die habt Ihr nun köstlich in Händen.«

Sie kommen nach Hause, sie setzen den Krug
Ein jedes den Eltern bescheiden genug
Und harren der Schläg' und der Schelten.
Doch siehe, man kostet: ein herrliches Bier!

Man trinkt in die Runde schon dreimal und vier,
Und noch nimmt der Krug nicht ein Ende.

Das Wunder, es dauert zum morgenden Tag.
Doch fraget, wer immer zu fragen vermag:
»Wie ist's mit den Krügen ergangen?«
Die Mäuslein, sie lächeln, im stillen ergetzt;
Sie stammeln und stottern und schwatzen zuletzt,
Und gleich sind vertrocknet die Krüge.

Und wenn euch, ihr Kinder, mit treuem Gesicht
Ein Vater, ein Lehrer, ein Aldermann spricht,
So horchet und folget ihm pünktlich!
Und liegt auch das Zünglein in peinlicher Hut,
Verplaudern ist schädlich, verschweigen ist gut;
Dann füllt sich das Bier in den Krügen.

Ansicht von Weimar.

Goethe soll nach Weimar!

So hatte es der junge Herzog von Sachsen-Weimar-Eisenach beschlossen, als er mit achtzehn Jahren die Regierung des kleinen Landes übernahm. Siebzehn Jahr lang hatte seine Mutter, die Herzogin Anna Amalia, die eine Nichte Friedrich des Großen war, die Regierungsgeschäfte für ihren Sohn geführt und das Land mit Klugheit verwaltet, nachdem sie sehr früh schon Witwe geworden war. Sie war eine bemerkenswerte Frau, der es trotz der kriegerischen Zeiten gelungen war, aus dem kleinen Städtchen Weimar einen Ort der Künste und Wissenschaften zu machen. Sie schuf sich einen »Musenhof«, an den sie viele der damals bedeutenden Künstler und Wissenschaftler holte. Dem Dichter Wieland hatte sie die Aufgabe der Erziehung ihrer beiden Söhne anvertraut.

Der achtzehnjährige Herzog besuchte Goethe auf mehreren Reisen und lud ihn ein, nach Weimar zu kommen. Goethe ist gut! So oder ähnlich muß der junge Karl August gedacht ha-

ben! Goethe ging, wenn auch gegen den Willen seines Vaters, gern wieder von Frankfurt weg. Dort hatte er sich mit Lili Schönemann verlobt, aber bald darauf die Verlobung lösen müssen. Vorübergehend hatte er in Wetzlar gearbeitet und sich dort unglücklich verliebt (diese Geschichte erzählt sein Briefroman »Die Leiden des jungen Werther«).
Aber vor allen anderen Gründen wird ihn die Lust, an einem neuen Ort etwas völlig anderes zu wagen, nach Weimar gezogen haben.

Aus den Venitianischen Epigrammen:

Klein ist unter den Fürsten Germaniens freilich der meine,
Kurz und schmal ist sein Land, mäßig nur, was er vermag.
Aber so wende nach innen, so wende nach außen die Kräfte
Jeder: da wär' es ein Fest, Deutscher mit Deutschen zu sein.
Doch was priesest du Ihn, den Taten und Werke verkünden?
Und bestochen erschien' deine Verehrung vielleicht;
Denn mir hat er gegeben, was Große selten gewähren,
Neigung, Muße, Vertraun, Felder und Garten und Haus.
Niemand braucht' ich zu danken als Ihm, und manches bedurft' ich,
Der ich mich auf den Erwerb schlecht, als ein Dichter, verstand.

Daß Goethe nach Weimar kam, war ein Ereignis! Man kann es sich gut vorstellen, wenn man die Briefe liest, in denen die Weimarianer die Ankunft des Dichters beschrieben haben:

Christian Graf zu Stolberg an seine Schwester:

Weimar, 27. November 1775
Goethe ist hier; welche Freude!

Wieland an einen Freund:

Weimar, 10. November 1775
Dienstags, den 7. des Monats morgens um 5 Uhr, ist Goethe in Weimar angelangt. O bester Bruder, was soll ich dir sagen?

Johann Wolfgang Goethe; um 1780.

Carl August, Großherzog von Sachsen-Weimar; um 1780.

Wie verliebt ich in ihn wurde, da ich am nämlichen Tage an seiner Seite zu Tische saß!
Alles, was ich Ihnen jetzt von der Sache sagen kann, ist dies: Seit dem heutigen Morgen ist meine Seele so voll von Goethe, wie ein Tautropfe von der Morgensonne..

Wieland an einen Freund:

Weimar, 26. Januar 1776
Goethe kommt nicht wieder von hier los. Karl August kann nicht mehr ohne ihn schwimmen noch waten. 's ist aber noch nichts Entschiednes... Der Hof, oder vielmehr seine Liaison (Verbindung) mit dem Herzog verdirbt ihm viel Zeit, um die's herzlich schad ist...

Weimar, 25. März 1776
Goethe bleibt nun wohl hier, solange Karl August lebt, und möchte das bis zu Nestors Alter währen! Er hat sich ein Haus gemietet, das wie eine kleine Burg aussieht, und es macht ihm großen Spaß, daß er mit seinem Philipp (Seidel, seinem Diener) ganz allein sich im Notfall etliche Tage gegen ein ganzes Korps darin wehren könnte, insofern sie ihm das Nest nicht überm Kopf ganz anzündeten. Er ist auch im Begriff, einen Garten zu kaufen...

Goethes Haus in Weimar am Frauenplan kann man heute auch noch besuchen. Das Haus, in dem er mit Unterbrechungen fast fünfzig Jahre lang wohnte, ist das Goethe-Museum der DDR geworden. Der Dichter ist zwar nur noch durch seine Büsten, durch seine Bildersammlungen, seine schönen Möbel, seine Bibliothek und verschiedenen Sammlungen anwesend, Tee kann er einem leider nicht servieren, wie er das zu seinen Lebzeiten gerne tat (An seine Freundin Frau von Stein schrieb er aus Venedig: »Es regnet und ich sitze am Kamin. Wann werd ich dir an dem meinen wieder Tee vorsetzen?«), trotzdem lohnt sich der Besuch!
In einem Konservierungsschrank sind sogar ein paar Kleidungsstücke von Goethe erhalten. Die Bibliothek zählt sechseinhalbtausend Bücher, die Majolika-Sammlung, die Goethe in Italien begonnen hatte und die aus wunderschön bemalten, teils über vierhundert Jahre alten Tonvasen und -krügen besteht, ist zu besichtigen, sowie Glasschränke voll mit Steinen, 17 800 Stück genau, die seine Mineraliensammlung umfassen; man kann sie in seinem Gartenpavillon sehen und nachzählen..

Goethes Haus im Festschmuck zum 50jährigen Regierungsjubiläum Carl Augusts.

Über sein Arbeitszimmer sagte der 82jährige Goethe:

»...Alle Arten von Bequemlichkeiten sind eigentlich ganz gegen meine Natur. Sie sehen in meinem Zimmer kein Sofa; ich sitze immer in meinem alten hölzernen Stuhl... Eine Umgebung von bequemen, geschmackvollen Möbeln hebt mein Denken auf und versetzt mich in einen behaglichen, passiven Zustand...«

Goethes Arbeitszimmer.

Das Haus am Frauenplan wurde Goethe von Herzog Karl August geschenkt. Im Juni 1782 zog er dort ein. Zu dieser Zeit war Goethe bereits seit Jahren Staatsbeamter des Herzogtums. Zu seinen amtlichen Pflichten gehörten die verschiedensten Aufgaben: er mußte sich um das Weimarer Theater kümmern, er war Leiter der Finanzkammer, er beaufsichtigte den Straßenbau des Herzogtums, war verantwortlich für die Ilmenauer Bergwerke, er war »Kriegskommissar« des Herzogs und hatte die Verantwortung für des Herzogs Soldaten, er leitete die Wasserkommission, machte diplomatische Reisen mit dem

Herzog – und fand trotzdem Zeit, nicht nur zu schreiben, zu dichten, sondern auch zu forschen. Er schrieb eine Farbenlehre, trieb Naturforschungen, er hat sogar einen Knochen entdeckt, den Zwischenkieferknochen im menschlichen Knochengerüst.

Verlassen wir nun Goethes Haus und gehen über einen schönen Weg zu einem anderen, in dem eine Dame wohnte, die Goethe sehr verehrt und geliebt hat.

Das war Charlotte von Stein. Sie war verheiratet und hatte sieben Kinder. Ihren Sohn Fritz nahm Goethe zu sich ins Haus: er probierte an ihm neue Erziehungsmethoden aus – denn selbstverständlich interessierte sich Goethe auch hierfür, und er war gerne mit Kindern zusammen –, doch davon später mehr.

Für Frauen hat Goethe sich sein ganzes Leben begeistert. Viele seiner Gedichte sind Frauen gewidmet. Wenn man sie liest, merkt man, daß Goethe ein leidenschaftliches Herz besaß und die Liebe in seinem Leben etwas ganz Wichtiges war.

Frau von Stein mit der Büste ihres Sohnes Fritz.

Woher sind wir geboren?
Aus Lieb'.
Wie wären wir verloren?
Ohn' Lieb'.
Was hilft uns überwinden?
Die Lieb'.
Kann man auch Liebe finden?
Durch Lieb'.
Was läßt nicht lange weinen?
Die Lieb'.
Was soll uns stets vereinen?
Die Lieb'.

In einem der alten Häuser am Holzgraben in Frankfurt, nahe bei der Liebfrauenkirche, war 1774 ein Brand ausgebrochen. Eine große Menschenmenge hatte sich versammelt und verfolgte gebannt das grausige Schauspiel. Einige der Zuschauer hatten Ketten gebildet und reichten wassergefüllte Eimer von Hand zu Hand.
Als Goethe, der gerade durch seinen »Werther« berühmt geworden war, zufällig vorbeikam, reihte auch er sich in eine der Ketten ein. Er fiel bald durch seinen Eifer und die Geschicklichkeit auf, mit der er die wassergefüllten Kübel weiterreichte. Als einer der Beobachter wissen wollte, wer der hilfsbereite junge Mann sei, erhielt er von seinem Nachbarn die Antwort: »Das ist der junge Goethe, Sohn des Kaiserlichen Rathes vom Hirschgraben. Er hat mit seinem Roman über den selbstmörderischen jungen Werther schon manches verhängnisvolle Feuer entfacht. Nun hilft er auch einmal mit, einen Brand zu löschen!«

Das Buch, das Goethe berühmt machte, als er erst fünfundzwanzig Jahre alt war, war der »Werther«, der 1774 erschien. Die Geschichte handelt von der unglücklichen Liebe eines jungen Mannes zu einem Mädchen, das mit einem anderen verlobt ist, von seinen Leiden und seinem freiwillig gewählten Tod.

In veränderter Form hat Goethe im »Werther« seine eigene Geschichte erzählt. Werthers Lotte, die an ihren Geschwistern Mutterstelle vertritt, ist wie die Charlotte Buff, die er in Wetzlar kennenlernte, verlobt und für Goethe unerreichbar.
Der Erfolg des »Werther« war unglaublich! Jeder las das Buch, es erschienen Nachdrucke und Übersetzungen davon

(der Kaiser Napoleon kannte die französische Übersetzung; Jahre später erzählte er es selbst Goethe). An einigen Orten durfte das Buch nicht verkauft werden: das traurige Ende löste bei jungen Menschen, die in einer seelischen Krise waren, eine Welle von Selbstmorden aus.

Aus »Die Leiden des jungen Werther« der Abschnitt, wo Werther in einem Brief an seinen Freund beschreibt, wie er Lotte zum ersten Mal sieht:

Unsere jungen Leute hatten einen Ball auf dem Lande angestellt, zu dem ich mich denn auch willig finden ließ. Ich bot einem hiesigen guten, schönen, übrigens unbedeutenden Mädchen die Hand, und es wurde ausgemacht, daß ich eine Kutsche nehmen, mit meiner Tänzerin und ihrer Base nach dem Orte der Lustbarkeit hinausfahren und auf dem Wege Charlotten S .. mitnehmen sollte. – Sie werden ein schönes Frauenzimmer kennen lernen, sagte meine Gesellschafterin, da wir durch den weiten ausgehauenen Wald nach dem Jagdhause fuhren. – Nehmen Sie sich in acht, versetzte die Base, daß Sie sich nicht verlieben! – Wie so? sagte ich. – Sie ist schon vergeben, antwortete jene, an einen sehr braven Mann, der weggereist ist, seine Sachen in Ordnung zu bringen, weil sein Vater gestorben ist, und sich um einen ansehnliche Versorgung zu bewerben. – Die Nachricht war mir ziemlich gleichgültig.
Ich war ausgestiegen, und eine Magd, die ans Tor kam, bat uns, einen Augenblick zu verziehen, Mamsell Lottchen würde gleich kommen. Ich ging durch den Hof nach dem wohlgebauten Hause, und da ich die vorliegenden Treppen hinaufgestiegen war und in die Tür trat, fiel mir das reizendste Schauspiel in die Augen, das ich je gesehen habe. In dem Vorsaale wimmelten sechs Kinder, von elf zu zwei Jahren, um ein Mädchen

von schöner Gestalt, mittlerer Größe, die ein simples weißes Kleid, mit blaßroten Schleifen an Arm und Brust, anhatte. Sie hielt ein schwarzes Brot und schnitt ihren Kleinen ringsherum jedem sein Stück nach Proportionen ihres Alters und Appetits ab, gab's jedem mit solcher Freundlichkeit, und jedes rufte so ungekünstelt sein: Danke! indem es mit den kleinen Händchen lange in die Höhe gereicht hatte, ehe es noch abgeschnitten war, und nun mit seinem Abendbrote vergnügt entweder weg-

Werther und Lotte mit ihren Geschwistern.

sprang, oder nach seinem stillern Charakter gelassen davonging nach dem Hoftore zu, um die Fremden und die Kutsche zu sehen, darinnen ihre Lotte wegfahren sollte. – Ich bitte um Vergebung, sagte sie, daß ich Sie hereinbemühe und die Frauenzimmer warten lasse. Über dem Anziehen und allerlei Bestellungen fürs Haus in meiner Abwesenheit habe ich vergessen, meinen Kindern ihr Vesperbrot zu geben, und sie wollen von niemanden Brot geschnitten haben als von mir.

Ich machte ihr ein unbedeutendes Kompliment, meine ganze Seele ruhte auf der Gestalt, dem Tone, dem Betragen, und ich hatte eben Zeit, mich von der Überraschung zu erholen, als sie in die Stube lief, ihre Handschuhe und den Fächer zu holen. Die Kleinen sahen mich in einiger Entfernung so von der Seite an, und ich ging auf das jüngste los, das ein Kind von der glücklichsten Gesichtsbildung war. Es zog sich zurück, als eben Lotte zur Türe herauskam und sagte: Louis, gib dem Herrn Vetter eine Hand. – Das tat der Knabe sehr freimütig, und ich konnte mich nicht enthalten, ihn ungeachtet seines kleinen Rotznäschens herzlich zu küssen. – Vetter? sagte ich, indem ich ihr die Hand reichte, glauben Sie, daß ich des Glücks wert sei, mit Ihnen verwandt zu sein? – O, sagte sie mit einem leichtfertigen Lächeln, unsere Vetterschaft ist sehr weitläufig, und es wäre mir leid, wenn Sie der schlimmste drunter sein sollten. – Im Gehen gab sie Sophien, der ältesten Schwester nach ihr, einem Mädchen von ungefähr elf Jahren, den Auftrag, wohl auf die Kinder achtzuhaben und den Papa zu grüßen, wenn er vom Spazierritte nach Hause käme. Den Kleinen sagte sie, sie sollten ihrer Schwester Sophie folgen, als wenn sie's selber wäre, das denn auch einige ausdrücklich versprachen. Eine kleine naseweise Blondine aber, von ungefähr sechs Jahren, sagte: Du bists doch nicht, Lottchen, wir haben dich doch lieber.

Der »Werther« machte nicht nur den jungen Dichter Goethe berühmt, er machte auch Charlotte Buff, die bald darauf Frau Kestner wurde, vielen Leuten bekannt als »Werthers Lotte«, als Vorbild der Lotte des Romans. Sie hat sich darüber nicht geärgert, sondern sich über diese »Verewigung« gefreut. Sehr viel später war sie einmal in Weimar, wo ihre Schwester wohnte, und besuchte den alten Goethe.

In unserem Jahrhundert hat der Schriftsteller Thomas Mann darüber eine Geschichte geschrieben, sie heißt »Lotte in Weimar« und schildert, wie das Wiedersehen zwischen den beiden wohl verlaufen sein könnte: Die junge Lotte hatte damals ein weißes Kleid mit Schleifen getragen. Eine der Schleifen hatte sie abgetrennt und Goethe als Andenken gegeben. In Weimar soll sich die würdige Frau Kestner (sehr zum Ärger ihrer Tochter) zum Besuch bei Goethe dann genauso angezogen haben, wobei auch die fehlende Schleife am Kleid unverändert war... der Dichter aber habe sich nichts anmerken lassen.

Goethe lesend vor seinem Haus am Frauenplan, um 1780.

Goethe sehnte sich seit seiner frühen Jugend nach Italien. Er kannte Reisebeschreibungen, er hatte den Vater erzählen hören, und vor allem wollte er die Kunstschätze in Italien besichtigen. Natürlich hat er auch oft genug den grauen Norden und das unfreundliche Wetter bei uns beklagt!
In seinem Roman »Wilhelm Meister« läßt Goethe das Mädchen Mignon, das aus dem Süden kommt, singen:

Kennst du das Land, wo die Zitronen blühn,
Im grünen Laub die Goldorangen glühn,
Ein sanfter Wind vom blauen Himmel weht,
Die Myrte still und hoch der Lorbeer steht?
Kennst du es wohl?
Dahin! Dahin
Möcht ich mit dir, o mein Geliebter ziehn.

Kennst du das Haus? Auf Säulen ruht sein Dach,
Es glänzt der Saal, es schimmert das Gemach,
Und Marmorbilder stehn und sehn mich an:
„Was hat man dir, du armes Kind, getan?"
Kennst du es wohl?
Dahin! Dahin
Möcht ich mit dir, o mein Beschützer ziehn.

Kennst du den Berg und seinen Wolkensteg?
Das Maultier sucht im Nebel seinen Weg,
In Höhlen wohnt der Drachen alte Brut –
Es stürzt der Fels und über ihn die Flut.
Kennst du ihn wohl?
Dahin! Dahin
Geht unser Weg! O Vater, laß uns ziehn!

Von Karlsbad, wo er mit Freunden zusammen gewesen war, fuhr Goethe heimlich ab. Unter fremdem Namen, als Johann Philipp Möller, fuhr er mit der Postkutsche über die Alpen. Das Tagebuch seiner »Italienischen Reise« widmete er seiner Freundin Charlotte von Stein, die ihm seine plötzliche, heimliche Abreise aber nicht verzeihen konnte. Ein halbes Jahr wollte Goethe in Italien bleiben, es wurden anderthalb Jahre daraus!

17. September 1786
Früh drei Uhr stahl ich mich aus Karlsbad weg, man hätte mich sonst nicht fortgelassen. Man merkte wohl, daß ich fortwollte...

Regensburg, 5. September 1786
Ich muß nun machen, daß ich wegkomme! Ein Ladenbedienter aus der Montagischen Buchhandlung hat mich erkannt...

Goethes Mutter an Fritz von Stein:
Frankfurt, den 17. Dezember 1786
Wissen Sie denn immer noch nicht, wo mein Sohn ist? Das ist

ein irrender Reiter! Nun, er wird schon einmal erscheinen und von seinen Heldentaten Rechenschaft ablegen, – wer weiß, wie viele Riesen und Drachen er bekämpft, wie viele gefangenen Prinzessinnen er befreit hat. Wollen uns im voraus auf die Erzählung der Abenteuer freuen und in Geduld die Entwicklung abwarten.

Aus der »Italienischen Reise«:

Mittenwald, den 7. September 1786, abends.
...Nach Walchensee gelangte ich um halb fünf. Etwa eine Stunde vor dem Orte begegnete mir ein artiges Abenteuer: ein Harfner mit seiner Tochter, einem Mädchen von elf Jahren, gingen vor mir her und baten mich, das Kind einzunehmen. Er trug das Instrument weiter, ich ließ sie zu mir sitzen, und sie stellte eine große neue Schachtel sorgfältig zu ihren Füßen. Ein artiges, ausgebildetes Geschöpf, in der Welt schon ziemlich bewandert. Nach Maria-Einsiedel war sie mit ihrer Mutter gewallfahrtet.. All ihre Reisen habe sie zu Fuße gemacht, zuletzt in München vor dem Kurfürsten gespielt und sich überhaupt vor einundzwanzig fürstlichen Personen hören lassen. Sie unterhielt mich recht gut. Hübsche große braune Augen, eine eigenwillige Stirn, die sich manchmal ein wenig hinaufwärts faltete. Wenn sie sprach, war sie angenehm und natürlich, besonders wenn sie kindischlaut lachte; hingegen wenn sie schwieg, schien sie etwas bedeuten zu wollen und machte mit der Oberlippe eine fatale Miene. Ich sprach sehr viel mit ihr durch, sie war überall zu Hause und merkte gut auf die Gegenstände. So fragte sie mich einmal, was das für ein Baum sei. Es war ein schöner großer Ahorn, der erste, der mir auf der ganzen Reise zu Gesichte kam. Den hatte sie doch gleich bemerkt und freute sich, da mehrere nach und nach erschienen, daß sie auch die-

sen Baum unterscheiden könne. Sie gehe, sagte sie, nach Bozen auf die Messe, wo ich doch wahrscheinlich auch hinzöge. Wenn sie mich dort anträfe, müsse ich ihr einen Jahrmarkt kaufen, welches ich ihr denn auch versprach. Dort wollte sie auch ihre neue Haube aufsetzen, die sie sich in München von ihrem Verdienst habe machen lassen. Sie wolle mir solche im voraus zeigen. Nun eröffnete sie die Schachtel, und ich mußte mich des reichgestickten und wohlbebänderten Kopfschmukkes mit ihr erfreuen.
Über eine andere frohe Aussicht vergnügten wir uns gleichfalls zusammen. Sie versicherte nämlich, daß es gut Wetter gäbe. Sie trügen ihren Barometer mit sich, und das sei die Harfe. Wenn sich der Diskant hinaufstimme, so gebe es gutes Wetter, und das habe es heute getan. Ich ergriff das Omen, und wir schieden im besten Humor, in der Hoffnung eines baldigen Wiedersehns.

Die Begegnung mit dem kleinen Harfner-Mädchen hat Goethe nicht vergessen; viele Jahre später diente sie ihm als Vorbild für das Mädchen Mignon in seinem Roman »Wilhelm Meister«. Eines ihrer heimwehkranken Lieder kennst du schon.

Trient, den 11. September 1786, früh.
Nachdem ich völlig fünfzig Stunden am Leben und in steter Beschäftigung gewesen, kam ich gestern abend um acht Uhr hier an, begab mich bald zur Ruhe und finde mich nun wieder imstande, in meiner Erzählung fortzufahren. Am Neunten abends, als ich das erste Stück meines Tagebuchs geschlossen hatte, wollte ich noch die Herberge, das Posthaus auf dem Brenner, in seiner Lage zeichnen, aber es gelang nicht, ich ver-

fehlte den Charakter und ging halb verdrießlich nach Hause. Der Wirt fragte mich, ob ich nicht fort wollte, es sei Mondenschein und der beste Weg, und ob ich wohl wußte, daß er die Pferde morgen früh zum Einfahren des Grummets brauchte und bis dahin gern wieder zu Hause hätte, sein Rat also eigennützig war, so nahm ich ihn doch, weil er mit meinem innern Triebe übereinstimmte, als gut an. Die Sonne ließ sich wieder blicken, die Luft war leidlich; ich packte ein, und um sieben Uhr fuhr ich weg. Die Atmosphäre ward über die Wolken Herr und der Abend gar schön.

Der Postillon schlief ein, und die Pferde liefen den schnellsten Trab bergunter, immer auf dem bekannten Wege fort; kamen sie an ein eben Fleck, so ging es desto langsamer. Der Führer wachte auf und trieb wieder an, und so kam ich sehr geschwind, zwischen hohen Felsen, an dem reißenden Etschfluß hinunter. Der Mond ging auf und beleuchtete ungeheuere Gegenstände. Einige Mühlen zwischen uralten Fichten über dem schäumenden Strom waren völlige Everdingen.

Als ich um neun Uhr nach Sterzing gelangte, gab man mir zu verstehen, daß man mich gleich wieder wegwünsche. In Mittenwald Punkt zwölf Uhr fand ich alles in tiefem Schlafe, außer dem Postillon, und so ging es weiter auf Brixen, wo man mich wieder gleichsam entführte, so daß ich mit dem Tage in Kollmann ankam. Die Postillons fuhren, daß einem Sehen und Hören verging, und so leid es mir tat, diese herrlichen Gegenden mit der entsetzlichsten Schnelle und bei Nacht wie im Fluge zu durchreisen, so freuete es mich doch innerlich, daß ein günstiger Wind hinter mir herblies und mich meinen Wünschen zujagte.

Von Bozen auf Trient geht es neun Meilen weg in einem fruchtbaren und fruchtbareren Tale hin. ..Eine arme Frau rief mich an, ich möchte ihr Kind in den Wagen nehmen, weil ihm

der heiße Boden die Füße verbrenne. Ich übte diese Mildtätigkeit zu Ehren des gewaltigen Himmelslichtes. Das Kind war sonderbar geputzt und aufgeziert, ich konnte ihm aber in keiner Sprache etwas abgewinnen. ..
In der Abendkühle ging ich spazieren und befinde mich nun wirklich in einem neuen Lande, in einer ganz fremden Umgebung. Die Menschen leben ein nachlässiges Schlaraffenleben: erstlich haben die Türen keine Schlösser; der Wirt versicherte mir, ich könne ganz ruhig sein, und wenn alles, was ich bei mir hätte, aus Diamanten bestünde; zweitens sind die Fenster mit Ölpapier statt Glasscheiben geschlossen; drittens fehlt eine höchst nötige Bequemlichkeit, so daß man dem Naturzustande hier ziemlich nahe kommt...

Rom, den 1. November 1786
...Über das Tiroler Gebirg bin ich gleichsam weggeflogen... Die Begierde, nach Rom zu kommen, war so groß, wuchs so sehr mit jedem Augenblicke, daß kein Bleiben mehr war, und ich mich nur drei Stunden in Florenz aufhielt. Nun bin ich hier und ruhig und, wie es scheint, auf mein ganzes Leben beruhigt. Denn es geht, man darf wohl sagen, ein neues Leben an, wenn man das Ganze mit Augen sieht, das man teilweise in- und auswendig kennt. Alle Träume meiner Jugend seh' ich nun lebendig; die ersten Kupferbilder, derer ich mich erinnere (mein Vater hatte die Prospekte von Rom auf einem Vorsaale aufgehängt), seh' ich nun in Wahrheit...

Goethes Mutter an Frau von Stein:

Frankfurt, den 29. Januar 1787
Ich freue mich, daß die Sehnsucht, Rom zu sehen, meinem Sohn geglückt ist. Es war von Jugend auf sein Tagsgedanke,

nachts sein Traum. – Die Seligkeit, die er bei Beschauung der Meisterwerke der Vorwelt empfinden und genießen muß, kann ich mir lebendig darstellen und freue mich seiner Freuden...

Tischbein

Goethe in Rom, 1787

Heute filmen und fotografieren die Touristen, wo immer sie können. Auch Goethe hielt Rom in Bildern fest: er malte. Er wäre gerne ein Maler geworden. Hier in Rom lebte er nun sehr glücklich mit dem Maler Tischbein und anderen Malern in einem Haus. Die Bilder, die Tischbein in Rom und Neapel von Goethe malte, vertiefen den Eindruck des Tagebuchs. Er mal-

te und zeichnete den Dichter oft: Goethe am Fenster, stehend und sitzend, Goethe kniend vor dem Freund Moritz, der sich den Arm gebrochen hatte und den Goethe pflegte. Das bekannteste Gemälde ist »Goethe in der Campagna«; Goethe sieht man darauf auf umgestürzten Steinbrocken sitzen, angetan mit einem riesigen Hut, und dem antiken Rom als Hintergrund.

Seh ich die Werke der Meister an,
So seh ich das, was sie getan;
Betracht' ich meine Siebensachen,
Seh ich, was ich hätt' sollen machen.

So hat er einmal geschrieben. Vielleicht hat er dabei an Italien gedacht, wo eine seiner größten Freuden die Betrachtung der vielen Kunstwerke und Altertümer war.
Goethe liebte Italien, und die Lebensweise seiner Bewohner sagte ihm zu. Allmählich bekam er das Gefühl, hier ein neuer, anderer Mensch zu werden. Er war froh darüber.
Das hättest du vielleicht nicht gedacht – sicherlich meinst du, ein so berühmter Mann habe allen Grund, mit seinem Leben zufrieden zu sein. Aber mit dem Ruhm muß das so eine Sache sein! Goethe genoß sein Leben nie so sehr wie in Rom, wo er sich sozusagen von sich selbst frei machen konnte.
»Wie ein Künstlerbursche hat er hier gelebt«, berichtet später Goethes Freund Herder aus Rom.

Aus der »Italienischen Reise«:

Rom, den 7. November 1786
Ich habe manchmal in früherer Zeit die wunderliche Grille gehabt, daß ich mir sehnlichst wünschte, von einem wohlunter-

richteten Manne, von einem kunst- und geschichtskundigen Engländer nach Italien geführt zu werden; und nun hat sich das alles indessen schöner gebildet, als ich hätte ahnen können. Tischbein lebte so lange hier als mein herzlicher Freund, er lebte hier mit dem Wunsche, mir Rom zu zeigen; unser Verhältnis ist alt durch Briefe, neu durch Gegenwart; wo hätte mir ein werterer Führer erscheinen können? Ist auch meine Zeit nur beschränkt, so werde ich doch das Möglichste genießen und lernen.
Und bei allem dem seh' ich voraus, daß ich wünschen werde, anzukommen, wenn ich weggehe.

Sehr viel später schreibt der Maler Tischbein an Goethe:

14.5.1821
Aber nie habe ich eine größere Freude empfunden als damals, wo ich Sie zum erstenmal sah, in der Locanda auf dem Weg nach St. Peter. Sie saßen in einem grünen Rock am Kamin, gingen mir entgegen und sagten: ich bin Goethe!

Kardinal Graf Herzan schrieb an den Fürsten Kaunitz über Goethe in Rom:

3.3.1787
Goethe trachtete, unbekannt zu bleiben und änderte deshalb seinen Namen in Johann Philipp Möller. Er soll wenige Gesellschaften besucht haben. Sein Umgang hier war fast einzig mit deutschen Künstlern, in deren Gesellschaft er die hiesigen Galerien, Antiquitäten und übrigen Merkwürdigkeiten wiederholt und jedesmal mit großer Aufmerksamkeit besah.

Am 9. Dezember 1786 schrieb Tischbein an den gemeinsamen Freund Lavater:

Goethe kam mir unverhofft hierher, und jetzt wohnet er in meiner Stube neben mir, ich genieße also von des Morgens bis zur Nacht den Umgang dieses so seltenen klugen Mannes... Was mich noch so sehr an ihm freut, ist sein einfaches Leben. Er begehrte von mir ein klein Stübchen, wo er schlafen und ungehindert arbeiten könnte, und ein ganz einfaches Essen, das ich ihm denn leicht verschaffen konnte, weil er mit so wenigem begnügt ist.

An die Kinder seines Freundes Herder schrieb Goethe aus Rom:

Den 13. Dezember 1786
Sehr oft, ihr lieben Kinder, wünscht ich, daß ihr das Gute mit mir genießen könntet, das mir so reichlich beschert ist. Man merkt den Winter nicht, die Gärten sind mit immergrünen Bäumen bepflanzt, die Sonne scheint hell und warm, Schnee sieht man nur auf den entferntesten Bergen gegen Norden. Die Zitronenbäume, die in den Gärten an den Wänden gepflanzt sind, werden nun nach und nach mit Decken von Rohr zugedeckt, die Pomeranzenbäume aber bleiben frei stehn. Es hängen viele hunderte der schönsten Früchte an so einem Baume, der nicht wie bei uns beschnitten und in einem Kübel gepflanzt ist, sondern in der Erde frei und froh in einer Reihe seiner Brüder steht. Man kann sich nichts Lustigers denken als solch einen Anblick.
Für ein paar Groschen ißt man, soviel man will, sie sind schon jetzt recht gut, im März werden sie noch besser sein.
Neulich waren wir am Meer und ließen fischen. Da kamen die

wunderlichsten Gestalten von Fischen und Krebsen zum Vorschein, auch der Elektrisierfisch, der wenn man ihn anrührt einen Schlag wie die Elektrizität gibt. Hier in Rom ist alles voller Gemälde und Statuen... Lebt wohl und schreibt mir oft, ich habe euch sehr lieb und werde euch dereinst viel erzählen.

An Fritz von Stein schrieb Goethe:

Rom, den 4. Januar 1787
In meinen weiten Mantel eingewickelt, und meinen Feuernapf bei mir, schreib' ich Dir, mein lieber Fritz, denn in meiner Stube ist weder Ofen, noch Kamin, und seit gestern weht ein Nordwind. Das Wetter ist schön und man geht gern auf den trockenen Straßen spazieren.
Nun muß ich Dir allerlei Geschichten erzählen. Neulich sind wir in der Peterskirche fast (wie man zu sagen pflegt) über den Papst gefallen. Wir gingen nach Tische in der Kirche herum und besahen die schönen Steinarten, womit Alles ausgeziert ist. Tischbein zeigte mir eben einen vorzüglich schön gezeichneten Alabaster (eigentlich Kalkspat) an einem Grabmale, als ich ihm auf einmal in die Ohren sagte: da ist der Papst. Ihro Heiligkeit knieten wirklich in langem weißen Gewande mit der roten Schnur an einem Pfeiler und beteten. Die Monsignores vom Gefolge, davon einer den roten goldbesetzten Hut hielt, standen mit ihren Brevieren nicht weit davon und sprachen mit einander, und anstatt einer feierlichen Stille machten die Leute, welche in der Peterskirche zu reinigen haben, einen Lärm auf den andern, damit der Papst sie und ihren Fleiß bemerken sollte, denn wie er weg war, feierten sie auch wieder.

Fritz von Stein und Goethe.

Aus dem Tagebuch für Frau von Stein:

...Was für eine Freude bringt es, zu einem Gipsgießer hineinzutreten, wo man die herrlichen Glieder der Statuen einzeln aus der Form hervorgehen sieht und dadurch ganz neue Ansichten der Gestalten gewinnt! Ich habe mich nicht enthalten können, den kolossalen Kopf eines Jupiters anzuschaffen. Er steht meinem Bett gegenüber, wohl beleuchtet, damit ich sogleich meine Morgenandacht an ihn richten kann, und der uns, bei all seiner Großheit und Würde, das lustigste Geschichtchen veranlaßt hat:

Unserer alten Wirtin schleicht gewöhnlich, wenn sie das Bett zu machen hereinkommt, ihre vertraute Katze nach. Ich saß im großen Saale und hörte die Frau drinnen ihr Geschäfte treiben. Auf einmal, sehr eilig und heftig, gegen ihre Gewohnheit, öffnet sie die Türe und ruft mich, eilig zu kommen und ein Wunder zu sehen. Auf meine Frage, was es sei, erwiderte sie, die Katze bete Gott Vater an. Sie habe diesem Tiere wohl längst angemerkt, daß es Verstand habe wie ein Christ; dieses aber sei doch ein großes Wunder! Ich eilte, mit eigenen Augen zu sehen, und es war wirklich wunderbar genug. Die Büste steht auf einem hohen Fuße, und der Körper ist weit unter der Brust abgeschnitten, so daß also der Kopf in die Höhe ragt. Nun war die Katze auf den Tisch gesprungen, hatte ihre Pfoten dem Gott auf die Brust gelegt und reichte mit ihrer Schnauze, indem sie die Glieder möglichst ausdehnte, gerade an den heiligen Bart, den sie mit der größten Zierlichkeit beleckte und sich weder durch die Wirtin noch durch meine Dazwischenkunft im mindesten stören ließ. Der guten Frau ließ ich ihre Verwunderung, erklärte mir aber diese seltsame Katzenandacht dadurch, daß dieses Tier wohl das Fett möge gerochen haben, das sich aus der Gußform in die Vertiefungen des Bartes gesenkt und dort verhalten habe.

Beobachtungen Goethes in Neapel:

...Die kleinsten Kinder sind auf mancherlei Weise beschäftigt. Ein großer Teil derselben trägt Fische zum Verkauf von Santa Lucia in die Stadt; andere sieht man sehr oft in der Gegend des Arsenals, oder wo sonst etwas gezimmert wird, wobei es Späne gibt, auch am Meer, welches Reiser und kleines Holz auswirft, beschäftigt, sogar die kleinsten Stückchen in Körbchen aufzulesen. Kinder von einigen Jahren, die nur auf der Erde so hinkriechen in Gesellschaft älterer Knaben von fünf bis sechs Jahren, befassen sich mit diesem kleinen Gewerbe. Sie gehen nachher mit den Körbchen tiefer in die Stadt und setzen sich mit ihren kleinen Holzportionen gleichsam zu Markte.

Tischbein: Goethe am Fenster, 1787.

Der Handwerker, der kleine Bürger kauft es ihnen ab, brennt es auf seinem Dreifuß zu Kohlen, um sich daran zu wärmen oder verbraucht es in seiner sparsamen Küche. Andere Kinder

tragen das Wasser der Schwefelquellen zum Verkaufe herum. Andere suchen einen kleinen Gewinn, indem sie Obst, gesponnenen Honig, Kuchen und Zuckerware einkaufen und wieder als kindliche Handelsleute den anderen Kindern anbieten und verkaufen; allenfalls, nur um ihren Teil daran umsonst zu haben. Es ist wirklich artig anzusehen, wie ein solcher Junge, dessen ganzer Kram und Gerätschaft in einem Brett und Messer besteht, eine Wassermelone oder einen halben gebratenen Kürbis herumträgt, wie sich um ihn eine Schar Kinder versammelt, wie er sein Brett niedersetzt und die Frucht in kleine Stücke zu zerteilen anfängt. Die Käufer spannen sehr ernsthaft, ob sie auch für ihr klein Stückchen Kupfergeld genug erhalten sollen, und der kleine Handelsmann traktiert gegen die Begierigen die Sache ebenso bedächtig, damit er ja nicht um ein Stückchen betrogen werde...

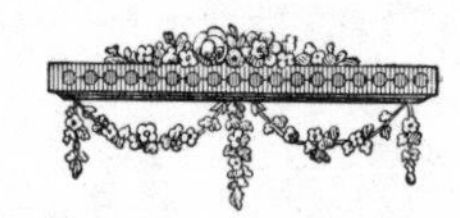

Im April 1788 machte Goethe sich auf die lange Rückreise nach Weimar. Unterwegs besichtigte er Florenz und Mailand, fuhr durch die Schweiz nach Konstanz am Bodensee, wo er bei Freunden Station machte. Die Tochter seiner Gastgeberin dort, Dorothea Schultheß, schrieb darüber an ihre ältere Schwester, die sie um ein Andenken von Goethe gebeten hatte:

Konstanz, 9. Juni 1788
Wohl, ich hab was, denk, es freut mich erstaunlich! Ein Brotkügeli, das er über ein Mittagessen in Händen herumdrückte! Ich sitz immer neben ihm, und wenn ich ihm aufwarten kann, so tu ich's geschwind; o das freut mich dann! ... Er trägt im-

mer ein braunes Kleid und prächtige Schuhschnallen von Steinen, sehr prächtig...
Ich will gewiß sehen, wo ich noch was auffange von Goethe für dich.

In Weimar schrieben die Freunde und Bekannten unterdessen:

Herzogin Anna Amalia:

Weimar, den 6. Januar 1788
Goethe wird wohl Ostern zurückkommen. Er ist fleißig in allem Betracht, und wir werden ihn wie neugeboren wiedersehen...

Blick auf Goethes Gartenhaus.
Weimar, 31. März 1788.

Schiller:

Hier wird Goethe jeden Tag aus Italien zurückerwartet; der Herzog hat ihn verlangt und ihm, wie man mir gesagt hat, eine Verlängerung seines Urlaubs verweigert.

An den kleinen Fritz von Stein schrieb eine Freundin:

17. Juni 1788
Wie geht es Ihnen? Sind Sie wohl recht froh jetzt? Das Rollen jedes Wagens macht Ihnen wohl Freude, weil Sie denken, es wäre der Geheime Rat (Goethe)... Schreiben Sie mir, wenn Sie können, bald wieder und recht viel vom Geheimrat. – Ich freue mich, daß er nun wieder in Deutschland ist und nun wohl auch bald bei Ihnen; er wird Sie recht groß finden.

Herder:

Weimar, den 22. Juni 1788
Er ist seit dem 18. abends um zehn Uhr mit dem Vollmond hier, ist gesund und wohl und hat uns schon tausend Dinge erzählt.

Schillers Wohnhaus in Weimar.

Vier Jahre nach seinem glücklichen Aufenthalt in Italien kam Goethe auch nach Frankreich. Diesmal war es keine Bildungs- oder Vergnügungsreise wie seine verschiedenen Reisen in die Schweiz, nach Böhmen oder in den Harz, diesmal ging es um Krieg. Goethes Herzog kommandierte – weil er kein eigenes hatte – ein preußisches Heer im Krieg gegen Napoleon, und Goethe begleitete ihn.
Dreißig Jahre später schrieb Goethe in »Dichtung und Wahrheit« auch über diesen erfolglosen Feldzug. Der Bericht heißt: »Campagne in Frankreich«; die Gegend, in der Goethe und sein Herzog sich aufhielten, war die Champagne, das Weinbaugebiet, wo der berühmte Champagnerwein hergestellt wird. Einmal entdeckten die Soldaten einen Keller, in dem viele Flaschen dieses edlen Getränkes lagerten:

Aus dem vorletzten Hause kam ein Soldat fluchend heraus, daß schon alles aufgezehrt und nirgends nichts mehr zu haben sei. Wir sahen durch die Fenster, da saßen ein paar Jäger ganz ruhig; wir gingen hinein, um wenigstens auf einer Bank unter Dach zu sitzen, wir begrüßten sie als Kameraden und klagten freilich über den allgemeinen Mangel. Nach einigem Hin- und Widerreden verlangten sie, wir sollten ihnen Verschwiegenheit geloben, worauf wir die Hand gaben. Nun eröffneten sie uns, daß sie in dem Hause einen schönen, wohlbestellten Keller gefunden, dessen Eingang sie zwar selbst sekretiert, uns jedoch von dem Vorrat einen Anteil nicht versagen wollten. Einer zog einen Schlüssel hervor, und nach verschiedenen weggeräumten Hindernissen fand sich eine Kellertüre zu eröffnen. Hinabgestiegen fanden wir nun mehrere etwa zweieimrige Fässer auf dem Lager, was uns aber mehr interessierte, verschiedene Abteilungen in Sand gelegter gefüllter Flaschen, wo der gutmütige Kamerad, der sie schon durchprobiert hatte, an die beste

Sorte wies. Ich nahm zwischen die ausgespreizten Finger jeder Hand zwei Flaschen, zog sie unter den Mantel, mein Freund desgleichen, und so schritten wir, in Hoffnung baldiger Erquickung, die Straße wieder hinaufwärts.

Unmittelbar am großen Wachfeuer gewahrte ich eine schwere starke Egge, setzte mich darauf und schob unter dem Mantel meine Flaschen zwischen die Zacken herein. Nach einiger Zeit bracht' ich eine Flasche hervor, wegen der mich meine Nachbarn beriefen, denen ich sogleich den Mitgenuß anbot. Sie taten gute Züge, der letzte bescheiden, da er wohl merkte, er lasse mir nur wenig zurück; ich verbarg die Flasche neben mir und brachte bald darauf die zweite hervor, trank den Freunden zu, die sich's abermals wohl schmecken ließen, anfangs das Wunder nicht bemerkten, bei der dritten Flasche jedoch laut über den Hexenmeister aufschrieen, und es war, in dieser traurigen Lage, ein auf alle Weise willkommener Scherz.

Der Weg war das kleine Wasser, die Tourbe, hinauf vorgezeichnet, durch das traurigste Tal von der Welt, zwischen niedrigen Hügeln, ohne Baum und Busch; es war befohlen und eingeschärft, in aller Stille zu marschieren, als wenn wir den Feind überfallen wollten, der doch in seiner Stellung das Heranrücken einer Masse von funfzigtausend Mann wohl mochte erfahren haben. Die Nacht brach ein, weder Mond noch Sterne leuchteten am Himmel, es pfiff ein wüster Wind, die stille Bewegung einer so großen Menschenreihe, in tiefer Finsternis, war ein höchst Eigenes.

Indem man neben der Kolonne herritt, begegnete man mehreren bekannten Offizieren, die hin und wider sprengten, um die Bewegung des Marsches bald zu beschleunigen, bald zu retardieren. Man besprach sich, man hielt stille, man versammelte sich. So hatte sich ein Kreis von vielleicht zwölf Bekannten und Unbekannten zusammengefunden, man fragte, klagte,

wunderte sich, schalt und räsonierte: das gestörte Mittagessen konnte man dem Heerführer nicht verzeihen. Ein munterer Gast wünschte sich Bratwurst und Brot, ein anderer sprang gleich mit seinen Wünschen zum Rehbraten und Sardellensalat; da das alles aber unentgeltlich geschah, fehlte es auch nicht an Pasteten und sonstigen Leckerbissen, nicht an den köstlichsten Weinen, und ein so vollkommnes Gastmahl war beisammen, daß endlich einer, dessen Appetit übermäßig rege geworden, die ganze Gesellschaft verwünschte und die Pein einer aufgeregten Einbildungskraft im Gegensatze des größten Mangels ganz unerträglich schalt. Man verlor sich auseinander, und der einzelne war nicht besser dran als alle zusammen.

Den 19. September nachts.
So gelangten wir bis Somme Tourbe, wo man haltmachte; der König war in einem Gasthofe abgetreten, vor dessen Tür der Herzog von Braunschweig, in einer Art Laube, Hauptquartier und Kanzlei errichtete. Der Platz war groß, es brannten mehrere Feuer, durch große Bündel Weinpfähle gar lebhaft unterhalten. Der Fürst-Feldmarschall tadelte einigemal persönlich, daß man die Flamme allzustark auflodern lasse; wir besprachen uns darüber, und niemand wollte glauben, daß unsere Nähe den Franzosen ein Geheimnis geblieben sei.

Den 27. September 1792
Eine etwas wunderliche Vorsichtsmaßregel, dem dringenden Hunger zu begegnen, ward gleichfalls bei der Armee publiziert: man solle die vorhandenen Gerstengarben so gut als möglich ausklopfen, die gewonnenen Körner in heißem Wasser so lange sieden, bis sie aufplatzen, und durch diese Speise die Befriedigung des Hungers versuchen.

Unserer nächsten Umgebung war jedoch eine bessere Beihülfe zugedacht. Man sah in der Ferne zwei Wagen festgefahren, denen man, weil sie Proviant und andere Bedürfnisse geladen hatten, gern zu Hülfe kam. Stallmeister von Seebach schickte sogleich Pferde dorthin, man brachte sie los, führte sie aber auch sogleich des Herzogs Regiment zu; sie protestierten dagegen, als zur östreichischen Armee bestimmt, wohin auch wirklich ihre Pässe lauteten. Allein man hatte sich einmal ihrer angenommen; um den Zudrang zu verhüten und sie zugleich festzuhalten, gab man ihnen Wache, und da sie auch von uns bezahlt erhielten, was sie forderten, so mußten sie auch bei uns ihre eigentliche Bestimmung finden.

Eilig drängten sich zu allererst die Haushofmeister, Köche und ihre Gehülfen herbei, nahmen von der Butter in Fäßchen, von Schinken und andern guten Dingen Besitz. Der Zulauf vermehrte sich, die größere Menge schrie nach Tabak, der denn auch um teuren Preis häufig ausgegeben wurde. Die Wagen aber waren so umringt, daß sich zuletzt niemand mehr nähern konnte, deswegen mich unsere Leute und Reiter anriefen und auf das dringendste baten, ihnen zu diesem notwendigsten aller Bedürfnisse zu verhelfen.

Ich ließ mir durch Soldaten Platz machen und erstieg sogleich, um mich nicht im Gedränge zu verwirren, den nächsten Wagen; dort bepackte ich mich für gutes Geld mit Tabak, was nur meine Taschen fassen wollten, und ward, als ich wieder herab und spendend ins Freie gelangte, für den größten Wohltäter gepriesen, der sich jemals der leidenden Menschheit erbarmt hatte. Auch Branntwein war angelangt, man versah sich damit und bezahlte die Bouteille gern mit einem Laubtaler.

Pfingsten, das liebliche Fest, war gekommen; es grünten und blühten
Feld und Wald; auf Hügeln und Höhn, in Büschen und Hecken
Übten ein fröhliches Lied die neuermunterten Vögel;
Jede Weise sproßte von Blumen in duftenden Gründen,
Festlich heiter glänzte der Himmel und farbig die Erde.

Nobel, der König, versammelt den Hof; und seine Vasallen
Eilen gerufen herbei mit großem Gepränge; da kommen
Viele stolze Gesellen von allen Seiten und Enden,
Lütke, der Kranich, und Markart, der Häher, und alle die Besten.
Denn der König gedenkt mit allen seinen Baronen
Hof zu halten in Feier und Pracht; er läßt sie berufen
Alle miteinander, so gut die Großen als Kleinen.
Niemand sollte fehlen! und dennoch fehlte der Eine,
Reineke Fuchs, der Schelm! der viel begangenen Frevels
Halben des Hofs sich enthielt. So scheuet das böse Gewissen
Licht und Tag, es scheute der Fuchs die versammelten Herren.
Alle hatten zu klagen, er hatte sie alle beleidigt,
Und nur Grimbart, den Dachs, den Sohn des Bruders, verschont' er.

So beginnt die Geschichte von Reineke Fuchs. Vielleicht hast du sie schon einmal als Hörspiel im Radio oder auf einer Kassette gehört. Es ist eine sehr alte Fabel, es gab sie schon im elften Jahrhundert. Im Lauf der Zeit hat man sie immer wieder verändert, denn mit dieser Fabel konnte man so gut das Zeitgeschehen deutlich machen, als Fabel verkleidet, und die Miß-

stände, die Not und die Ungerechtigkeit, unter denen die armen Leute leiden mußten, aufzeigen und bekannt machen. Die Rolle des verschlagenen, listigen Übeltäters fiel dabei immer Reineke Fuchs zu.

Als Goethe diesen Stoff für sich endeckte, paßte die Geschichte ausgezeichnet zu den wirren Ereignissen, den politischen Unruhen, die die Französische Revolution und die darauf folgenden Kriege über Europa gebracht hatten.

Er schrieb an »seinem« Reineke Fuchs während der Belagerung der Stadt Mainz im Frühjahr 1793, an der er mit dem Herzog Karl-August teilnahm. Man belagerte die Franzosen, die Mainz erobert hatten, und dort gab es sogar ein lebendes Modell für den Verräter und Galgenvogel Reineke in der Person des französischen Offiziers Merlin, dem es wie diesem gelang, durch geschicktes Lügen immer wieder die eigene Haut zu retten, während es allen anderen an Kopf und Kragen ging!

Die alte Fabel veränderte Goethe nicht wesentlich. Er gestaltete zwölf Gesänge und nahm als Versmaß den griechischen Hexameter, eine schwierige Sache, wie man aus dem folgenden Brief sehen kann!

Der Homer-Übersetzer Voß an seine Frau: 13. Juni 1794

Goethes »Reineke« habe ich angefangen zu lesen; aber ich kann nicht durchkommen. Goethe bat mich, ihm die schlechten Hexameter anzumerken; ich muß sie ihm alle nennen, wenn ich aufrichtig sein will! Ein sonderbarer Einfall, den »Reineke« in Hexameter zu setzen!

Hier geht der Eröffnungsgesang weiter (vielleicht hast du Lust, Goethes Buch vom Reineke Fuchs ganz zu lesen):

Isegrim aber, der Wolf, begann die Klage; von allen

Seinen Vettern und Gönnern, von allen Freunden begleitet,
Trat er vor den König und sprach die gerichtlichen Worte:
»Gnädigster König und Herr! vernehmet meine Beschwerden.
Edel seid Ihr und groß und ehrenvoll, jedem erzeigt Ihr
Recht und Gnade: so laßt Euch denn auch des Schadens erbarmen,
Den ich von Reineke Fuchs mit großer Schande gelitten.
Aber vor allen Dingen erbarmt Euch, daß er mein Weib so
Freventlich öfters verhöhnt und meine Kinder verletzt hat.
Ach! er hat sie mit Unrat besudelt, mit ätzendem Unflat,
Daß mir zu Hause noch drei in bittrer Blindheit sich quälen.
Zwar ist alle der Frevel schon lange zur Sprache gekommen,
Ja ein Tag war gesetzt, zu schlichten solche Beschwerden;
Er erbot sich zum Eide, doch bald besann er sich anders
Und entwischte behend nach seiner Feste. Das wissen
Alle Männer zu wohl, die hier und neben mir stehen.
Herr! ich könnte die Drangsal, die mir der Bube bereitet,
Nicht mit eilenden Worten in vielen Wochen erzählen.
Würde die Leinwand von Gent, so viel auch ihrer gemacht wird,
Alle zu Pergament, sie faßte die Streiche nicht alle,
Und ich schweige davon. Doch meines Weibes Entehrung
Frißt mir das Herz; ich räche sie auch, es werde, was wolle.«
Als nun Isegrim so mit traurigem Mute gesprochen,
Trat ein Hündchen hervor, hieß Wackerlos, red'te französisch
Vor dem König: wie arm es gewesen und nichts ihm geblieben
Als ein Stückchen Wurst in einem Wintergebüsche;
Reineke hab' auch das ihm genommen! Jetzt sprang auch der Kater

Hinze zornig hervor und sprach: »Erhabner Gebieter,
Niemand beschwere sich mehr, daß ihm der Bösewicht schade,
Denn der König allein! Ich sag' Euch, in dieser Gesellschaft
Ist hier niemand, jung oder alt, er fürchtet den Frevler
Mehr als Euch! doch Wackerlos' Klage will wenig bedeuten,
Schon sind Jahre vorbei, seit diese Händel geschehen;
Mir gehörte die Wurst! Ich sollte mich damals beschweren.
Jagen war ich gegangen: auf meinem Wege durchsucht' ich
Eine Mühle zu Nacht; es schlief die Müllerin; sachte
Nahm ich ein Würstchen, ich will es gestehn; doch hatte zu dieser
Wackerlos irgend ein Recht, so dankt' er's meiner Bemühung.«
Und der Panther begann: »Was helfen Klagen und Worte!
Wenig richten sie aus, genug, das Übel ist ruchtbar.
Er ist ein Dieb, ein Mörder! Ich darf es kühnlich behaupten,
Ja, es wissen's die Herren, er übet jeglichen Frevel.
Möchten doch alle die Edlen, ja selbst der erhabene König
Gut und Ehre verlieren; er lachte, gewänn' er nur etwa
Einen Bissen dabei von einem fetten Kapaune.
Laßt euch erzählen, wie er so übel an Lampen, dem Hasen,
Gestern tat; hier steht er! der Mann, der keinen verletzte.
Reineke stellte sich fromm und wollt' ihn allerlei Weisen
Kürzlich lehren und was zum Kaplan noch weiter gehöret,
Und sie setzten sich gegeneinander, begannen das Credo.
Aber Reineke konnte die alten Tücken nicht lassen;
Innerhalb unsers Königes Fried' und freiem Geleite
Hielt er Lampen gefaßt mit seinen Klauen und zerrte
Tückisch den redlichen Mann. Ich kam die Straße gegangen,
Hörte beider Gesang, der, kaum begonnen, schon wieder

Endete. Horchend wundert' ich mich, doch als ich hinzukam,
Kannt' ich Reineken stracks, er hatte Lampen beim Kragen;
Ja er hätt' ihm gewiß das Leben genommen, wofern ich
Nicht zum Glücke des Wegs gekommen wäre. Da steht er!
Seht die Wunden an ihm, dem frommen Manne, den keiner
Zu beleidigen denkt. Und will es unser Gebieter,
Wollt ihr Herren es leiden, daß so des Königes Friede,
Sein Geleit und Brief von einem Diebe verhöhnt wird;
O, so wird der König und seine Kinder noch späten
Vorwurf hören von Leuten, die Recht und Gerechtigkeit lieben.«

Isegrim sagte darauf: »So wird es bleiben, und leider
Wird uns Reineke nie was Gutes erzeigen. O! läg' er
Lange tot; das wäre das beste für friedliche Leute;«

...

Hochgeehrt ist Reineke nun! Zur Weisheit bekehre
Bald sich jeder und meide das Böse, verehre die Tugend!
Dieses ist der Sinn des Gesangs, in welchen der Dichter
Fabel und Wahrheit gemischt, damit ihr das Böse vom Guten
Sondern möget und schätzen die Weisheit, damit auch die Käufer
dieses Buchs vom Laufe der Welt sich täglich belehren.

Gartenstieg an Goethes Arbeits- und Schlafzimmer.

Etwas ganz Wichtiges in Goethes Leben war seine Freundschaft zu dem Dichter Friedrich Schiller. Der war in Deutschland berühmt geworden zu der Zeit, als Goethe in Italien lebte; über den Erfolg des Dramas »Die Räuber« von Schiller hatte Goethe sich damals sehr gewundert, er nannte es »eine Fratze«. Lange Jahre bewahrten die beiden Dichterkollegen, die gar nicht weit voneinander lebten – der eine in Jena, der andere in Weimar – einen großen Abstand zueinander. Der Verfasser der »Räuber« war Goethe nicht ganz geheuer, und Schiller, dem es im Leben bei weitem nicht so gut ging wie Goethe, hatte wohl Mühe mitanzusehen, wie sehr Goethe in Weimar geachtet und umworben wurde, und so dauerte es lange Jahre, bis die beiden Dichter sich näherkamen. 1794 schrieb Schiller einen Brief an Goethe, in dem er ihn bat, bei einer neuen Zeitschrift mitzumachen. Darauf antwortete Goethe:
»Zu meinem Geburtstage, der mir diese Woche erscheint, hätte mir kein angenehmeres Geschenk werden können als Ihr Brief…«
Denn Goethe wußte wohl: Auch Schiller ist gut!

So begann endlich eine Freundschaft, die zehn Jahre, bis zu Schillers Tod, dauerte. Mit niemandem sonst hätte Goethe eine so gute Zusammenarbeit erleben können und dasselbe gilt für Schiller. Zur gleichen Zeit dichteten beide ihre bekannten Balladen, Schillers Theaterstücke wurden am Weimarer Theater, das Goethe leitete, aufgeführt, Goethe vollendete den ersten Teil seines Dramas »Faust«, weil Schiller nicht müde wurde, ihn immer wieder dazu zu ermutigen.
Woher wir das so genau wissen? Aus »Goethes Briefwechsel mit Schiller«, einer Sammlung von mehr als tausend Briefen, die Goethe und sein Freund sich schrieben, und die man auch heute noch als Buch kaufen kann. Goethe hat viele tausend

Briefe geschrieben – das kommt uns heute fast unglaublich vor, aber damals war das keine Ausnahme –, schließlich hatte man das Telefon noch nicht erfunden.
So verging kaum ein Tag, an dem Goethe nicht wenigstens einen kurzen Brief schrieb – an seine Frau, wenn er oder sie verreist waren, an seine Freundin Frau von Stein, an Freunde und Kollegen überall, die genauso eifrig zurückschrieben. Ein paar Beispiele davon liest du ja auch in diesem Buch.

Schiller.

Goethe.

Mit Schiller war der Briefwechsel besonders ausführlich. Viele Briefe beschäftigen sich mit Goethes »Faust«. Diese Dichtung, die Goethe sein »Hauptgeschäft« nannte, hat ihn sein Leben lang beschäftigt. In seiner Jugend hatte er die mittelalterliche Geschichte vom Doktor Faustus, der seine Seele dem Teufel verkauft, als Puppenspiel gesehen und beschlossen, aus diesem Stoff eine Tragödie zu dichten. Immer wieder hat er die Arbeit daran beiseite gelegt, und Schiller ist es wohl zu verdanken, daß Goethe den Faust zu Ende dichtete.

Die Briefstellen, die hier abgedruckt sind, geben einen Eindruck davon:

An Schiller:

Weimar, den 26. Oktober 1794
Das mir übersandte Manuskript habe ich sogleich mit großem Vergnügen gelesen, ich schlürfte es auf einen Zug hinunter...
Goethe

An Goethe:

Jena, den 29. November 1794
Es würde mich sehr verlangen, die Bruchstücke von Ihrem Faust, die noch nicht gedruckt sind, zu lesen...
Schiller

An Schiller:

Weimar, den 2. Dezember 1794
Vom Faust kann ich jetzt nichts mitteilen; ich wage nicht das Paket aufzuschnüren, das ihn gefangen hält... Kann mich künftig etwas dazu vermögen, so ist es gewiß Ihre Teilnahme!
Goethe

An Goethe:

Jena, den 2. Januar 1795
Meine besten Wünsche zu dem neuen Jahr, und noch einen herzlichen Dank für das verflossene, das mir durch Ihre Freundschaft vor allen übrigen ausgezeichnet und unvergeßlich ist...
Schiller

Goethes »Faust« ist ein Theaterstück, eine Tragödie in zwei Teilen. Goethe greift darin die Geschichte vom Doktor Faust auf, der im Mittelalter gelebt hat, und ein vagabundierender Schwarzkünstler und Magier gewesen sein soll, der sich als Arzt ausgab. Ein übler Schelm sei er gewesen, steht in alten Chroniken, jemand, der auf den Jahrmärkten die Leute mit seinen Zauberkünsten betrog und sie mit seinem Geschwätz betörte. Hundert Jahre nach seinem Tod erschien ein erstes Volksstück über ihn: »Die Historia vom Doktor Johan Fausten, dem weltbeschreyten Zauberer und Schwartzkünstler«, die Geschichte eines Menschen, der sich dem Teufel verschrieben hatte, wüste Abenteuer erlebte und ein schreckliches Ende fand.

Du mußt verstehn!
Aus Eins mach Zehn,
Und Zwei laß gehn,
Und Drei mach gleich,
So bist du reich.
Verlier die Vier!

Aus Fünf und Sechs,
So sagt die Hex',
Mach Sieben und Acht,
So ist's vollbracht:
Und Neun ist Eins,
Und Zehn ist keins.
Das ist das Hexen-Einmaleins.

Darum geht es in Goethes »Faust«:
Du weißt, wie schwer es ist, den Inhalt einer Geschichte »mit anderen Worten« zu erzählen. Oder versuch einmal, den Inhalt eines Gedichtes wiederzugeben, zum Beispiel des Goethe-Gedichts »An den Mond« – unmöglich! Auch läßt sich ein dichterisches Werk nicht wie eine Rechenaufgabe »auf einen Nenner bringen«. In einem Gespräch mit seinem Sekretär Peter Eckermann über seine Bühnendichtung »Faust« hat Goethe diese Schwierigkeit so ausgedrückt: »Da kommen die Leute und fragen, welche Idee ich in meinem ›Faust‹ zu verkörpern gesucht. Als ob ich das selber wüßte und aussprechen

könnte! Daß der Teufel die Wette verliert und daß ein aus schweren Verirrungen immerfort zum Bessern aufstrebender Mensch zu erlösen sei, das ist zwar ein wirksamer, manches erklärender guter Gedanke, aber es ist keine Idee, die dem Ganzen und jeder einzelnen Szene im besonderen zugrunde liegt… Ich empfing in meinem Innern Eindrücke, und zwar Eindrükke sinnlicher, lebensvoller, lieblicher, bunter, hundertfältiger Art… und ich hatte als Poet nichts weiter zu tun, als solche Anschauungen und Eindrücke in mir künstlerisch zu runden und auszubilden«. Soviel vorweg über die Schwierigkeit, die »Faust«-Handlung zu erzählen.

Mit einem »Prolog im Himmel« beginnt die Bühnendichtung »Faust«. (»Prolog« ist ein griechisches Wort und bedeutet »Vorrede« oder »Einführung«). Im »Prolog im Himmel« sehen und hören wir Gott, den Herrn der Welt, inmitten seiner Engel. Die drei Erzengel loben Gottes Schöpfung; sie sagen, sie sei gut. In ihren Lobgesang will Mephisto, der Teufel, nicht einstimmen. »Nein«, sagt er, »auf der Erde geht es wie immer ›herzlich schlecht‹. Die Menschen müssen sich derart plagen, und sie wissen so wenig, weshalb sie sich plagen müssen, daß sie sogar mir, dem Teufel, leid tun.« – »Kennst du den Faust?« fragt der Herr.

Mephisto. Den Doktor?
Der Herr. Meinen Knecht!
Mephisto. Was wettet Ihr? Den sollt Ihr noch verlieren,
Wenn Ihr mir die Erlaubnis gebt,
Ihn meine Straße sacht zu führen!
Der Herr. Solang er auf der Erde lebt,
Solange sei dir's nicht verboten.
Es irrt der Mensch, solang er strebt.

Weimar.

Sonnabend, den 29. August 1829.

Zum Erstenmal:

Faust.

Tragödie in acht Abtheilungen von Goethe.

Die zur Handlung gehörige Musik ist von C. Eberwein.

Faust, ... Herr Durand.
Wagner, sein Famulus, ... Herr Lortzing.
Mephistopheles, ... Herr La Roche.
Ein Schüler, ... Herr Engst.
Frosch, / Brander, / Siebel, / Mayer, Studenten, ... Herr Seidel. / Herr Genast. / Herr Franke. / Herr Molike.
Eine Hexe, ... Mad. Zischka.
Margaretha, ein Bürgermädchen, ... Dem. Lortzing.
Valentin, ihr Bruder, Soldat, ... Herr Winterberger.
Frau Marthe, Gretchens Nachbarin, . . . Mad. Durand.
Erster / Zweiter / Dritter Bürger, ... Herr Graff. / Herr Oels / Herr Haide.
Erster / Zweiter / Dritter Handwerksbursch, ... Herr Schmidt. / Herr Wohlfarth. / Herr Oels jun.
Erster / Zweiter Schüler, ... Dem. Kladzig. / Herr Jerrwitz.
Erstes / Zweites Bürgermädchen, ... Mad. Müller. / Dem. Schmidt.
Erstes / Zweites Dienstmädchen, ... Dem. Hey. / Dem. Breul.
Der Erdgeist.
Böser Geist.
Soldaten. Volk.
Sataniskén. Erscheinungen. Geister.

Preise der Plätze in Conventionsgeld:

Balkon	—	—	—	16 gr.
Parterre-Loge	—	—	—	12 gr.
Parket	—	—	—	12 gr.
Parterre	—	—	—	8 gr.
Gallerie-Loge	—	—	—	6 gr.
Gallerie	—	—	—	4 gr.

Anfang um 6 Uhr. Ende nach 9 Uhr.

Die Billette gelten nur am Tage der Vorstellung, wo sie gelöst worden.

Der bestehenden Verordnung gemäß, kann Niemand, der nicht zum Theater gehört, weder bei den Proben noch bei den Vorstellungen, auf der Bühne zugelassen werden.

Die freien Entréen sind erst um 6 Uhr gültig.

Ankündigung der Erstaufführung des »Faust«.

Um eine Wette geht es also im »Faust«. Wer wird die Wette am Ende gewinnen? Gott oder der Teufel? Das ist eine Frage, die sich viele Menschen auch heute stellen: Werden die Menschen so unvernünftig und bös sein, ihre Erde zu zerstören? Oder werden sie klug und vernünftig genug sein, um sie für alle Zukunft als ihre Heimat zu erhalten?

Auch davon handelt die »Faust«-Dichtung: Wie schwer es den Menschen fällt, das Gute und Vernünftige zu tun.

Nach dem »Prolog im Himmel« lernen wir Faust in seiner Studierstube kennen. Er ist Doktor und Professor, ein gelehrter Mann. Alle Wissenschaften hat er »mit heißem Bemühn« studiert. Aber so richtig klug, das weiß er selbst, ist er davon nicht geworden. Zu welchem Zweck Gott die Welt schuf, hat ihn die Wissenschaft nicht gelehrt. Dem Sinn und dem Geheimnis des Lebens ist er nicht auf die Spur gekommen. Darüber ist er so verbittert, daß er auch in seinen Studien keinen Sinn mehr sieht und am liebsten sterben will. Die Flasche mit dem Gift, das ihn töten soll, hält er schon in der Hand. Aber auf einmal, es ist Mitternacht, läuten von allen Kirchen der Stadt die Osterglocken, und die fromme Erinnerung an seine Kindheit bewahrt ihn davor, das Gift zu trinken.
Am nächsten Tag kehrt Faust mit seinem Assistenten Wagner unzufrieden von einem Osterspaziergang heim. Ein Hund ist ihnen zugelaufen, ein Pudel, und er läßt sich einfach nicht abschütteln. Sogar in Fausts Studierstube läuft er flink hinein. Faust sagt zu ihm:

Soll ich mit dir das Zimmer teilen,
Pudel, so laß das Heulen,
Laß das Bellen! ...
Ungern heb ich das Gastrecht auf,
Die Tür ist offen, hast freien Lauf.
Aber was muß ich sehen?
Ist es Schatten? Ist's Wirklichkeit?
Wie wird mein Pudel lang und breit!
Er hebt sich mit Gewalt,
Das ist nicht eines Hundes Gestalt!

Nein, er ist kein gewöhnlicher Pudel. Mephisto, der Teufel, hat sich in ihm versteckt, und mit ein paar Zaubertricks steht

er lebendig in Fausts Studierstube und bietet seine Dienste an. Von seinen Büchern, seinen Studien will er Faust wegziehen. Er will ihm das wirkliche, aufregende Leben zeigen. Zuerst führt er ihn in »Auerbachs Keller«, eine berühmte Studentenkneipe zu Leipzig, doch an den trinkenden und gröhlenden Studenten findet Faust keinen Spaß. Dann führt ihn der schlaue Teufel in die »Hexenküche«, wo eine alte Hexe aus dem steifen Professor einen gut aussehenden jungen Mann zaubert.

In der nächsten Szene begegnet Faust einem Mädchen, das Margarete heißt, und auf den ersten Blick liebt er sie. Sie ist jung, unschuldig und so unerfahren, daß sie sich dem geliebten Mann mit grenzenlosem Vertrauen hingibt. Faust aber, in der Gewalt des Teufels, mißbraucht ihr Vertrauen. Um für eine Nacht bei ihr sein zu können, gibt Faust ihr eine Medizin für die Mutter, damit sie tief schlafen und die Liebenden nicht hören soll. Aber die wenigen Tropfen, die Margarete ihr vor dem Schlafengehn in den Tee mischt, töten die alte Frau. Das hat Margarete nicht gewollt, aber sie wird des Mordes angeklagt und in einen Kerker geworfen, wo sie ihr Todesurteil erwarten muß. Seit jener Nacht, in der die Mutter starb, erwartet Margarete ein Kind. Als es zur Welt kommt, ist Margarete so verzweifelt, daß sie ihr Kind tötet. Sie hat einen Bruder; er heißt Valentin und ist Soldat. Er fordert Faust zum Zweikampf auf, wird aber, da der Teufel Faust den Degen führt, erstochen. Zu spät versucht Faust, die Geliebte aus dem Kerker zu befreien. »Komm, folge mir!« ruft er ihr zu. Sie antwortet:

Ich darf nicht fort; für mich ist nichts zu hoffen.
Was hilft es fliehn? Sie lauern doch mir auf.
Es ist so elend, betteln zu müssen,
Und noch dazu mit bösem Gewissen!

Sie hat recht. Sie spürt, daß Faust sie nicht so liebt, wie sie ihn liebte. Auf Erden ist ihr nicht mehr zu helfen. Sie wendet sich an Gott:

Gericht Gottes, dir hab ich mich übergeben!
Dein bin ich, Vater! Rette mich!
Ihr Engel! Ihr heiligen Scharen,
Lagert euch umher, mich zu bewahren.

Und während Mephisto mit Faust in der Morgendämmerung verschwindet, ruft eine Stimme von oben, daß Gott ihre schlimmen Taten verzeihe und daß sie gerettet werde. Das kann für Faust nicht gelten. Er bleibt noch lange in der Gewalt des Teufels, und erst ganz am Ende des zweiten Teils der »Faust«-Dichtung wird auch er von seiner Schuld freigesprochen und erlöst.
So beginnt der erste Teil von »Faust«:

NACHT

In einem hochgewölbten, engen gotischen
Zimmer. Faust unruhig auf seinem Sessel am Pult.

Faust:
Habe nun, ach! Philosophie,
Juristerei und Medizin,
Und leider auch Theologie
Durchaus studiert, mit heißem Bemühn.
Da steh' ich nun, ich armer Tor,
Und bin so klug als wie zuvor!
Heiße Magister, heiße Doktor gar,
Und ziehe schon an die zehen Jahr'
Herauf, herab und quer und krumm
Meine Schüler an der Nase herum –
Und sehe, daß wir nichts wissen können!
Das will mir schier das Herz verbrennen.

Zwar bin ich gescheiter als alle die Laffen,
Doktoren, Magister, Schreiber und Pfaffen;
Mich plagen keine Skrupel noch Zweifel,
Fürchte mich weder vor Hölle noch Teufel –
Dafür ist mir auch alle Freud' entrissen,
Bilde mir nicht ein, was Rechts zu wissen,
Bilde mir nicht ein, ich könnte was lehren,
Die Menschen zu bessern und zu bekehren.
Auch hab ich weder Gut noch Geld,
Noch Ehr' und Herrlichkeit der Welt;
Es möchte kein Hund so länger leben!
Drum hab ich mich der Magie ergeben,
Ob mir durch Geistes Kraft und Mund
Nicht manch Geheimnis würde kund;
Daß ich nicht mehr mit sauerm Schweiß
Zu sagen brauche, was ich nicht weiß;
Daß ich erkenne, was die Welt
Im Innersten zusammenhält,
Schau' alle Wirkenskraft und Samen,
Und tu' nicht mehr in Worten kramen.

Inmitten vieler Menschen gehen Faust und sein Gehilfe Wagner an Ostern spazieren:

Faust:
Vom Eise befreit sind Strom und Bäche
Durch des Frühlings holden, belebenden Blick;
Im Tale grünet Hoffnungsglück;
Der alte Winter, in seiner Schwäche,
Zog sich in rauhe Berge zurück.
Von dorther sendet er, fliehend, nur
Ohnmächtige Schauer körnigen Eises
In Streifen über die grünende Flur;
Aber die Sonne duldet kein Weißes:
Überall regt sich Bildung und Streben,
Alles will sie mit Farben beleben;
Doch an Blumen fehlt's im Revier:

Sie nimmt geputzte Menschen dafür.
Kehre dich um, von diesen Höhen
Nach der Stadt zurückzusehen!
Aus dem hohlen finstern Tor
Dringt ein buntes Gewimmel hervor.
Jeder sonnt sich heute so gern.
Sie feiern die Auferstehung des Herrn;
Denn sie sind selber auferstanden:
Aus niedriger Häuser dumpfen Gemächern,
Aus Handwerks- und Gewerbesbanden,
Aus dem Druck von Giebeln und Dächern
Aus der Straßen quetschender Enge,
Aus der Kirchen ehrwürdiger Nacht
Sind sie alle ans Licht gebracht.
Sieh nur, sieh! wie behend sich die Menge
Durch die Gärten und Felder zerschlägt,
Wie der Fluß in Breit und Länge
So manchen lustigen Nachen bewegt,
Und, bis zum Sinken überladen,
Entfernt sich dieser letzte Kahn.
Selbst von des Berges fernen Pfaden
Blinken uns farbige Kleider an:
Ich höre schon des Dorfs Getümmel,
Hier ist des Volkes wahrer Himmel,
Zufrieden jauchzet groß und klein:
»Hier bin ich Mensch, hier darf ichs sein!«

DER KÖNIG IN THULE

Es war ein König in Thule
Gar treu bis an das Grab,
Dem sterbend seine Buhle
Einen goldnen Becher gab.

Es ging ihm nichts darüber,
Er leert' ihn jeden Schmaus;
Die Augen gingen ihm über,
So oft er trank daraus.

Und als er kam zu sterben,
Zählt' er seine Städt' im Reich,
Gönnt' alles seinem Erben,
Den Becher nicht zugleich.

Er saß beim Königsmahle,
Die Ritter um ihn her,
Auf hohem Vätersaale,
Dort auf dem Schloß am Meer.

Dort stand der alte Zecher,
Trank letzte Lebensglut,
Und warf den heiligen Becher
Hinunter in die Flut.

Er sah ihn stürzen, trinken
Und sinken tief ins Meer,
Die Augen täten ihm sinken,
Trank nie einen Tropfen mehr.

Gretchen am Spinnrad allein.

Meine Ruh' ist hin,
Mein Herz ist schwer;
Ich finde sie nimmer
Und nimmermehr.

Wo ich ihn nicht hab',
Ist mir das Grab,
Die ganze Welt
Ist mir vergällt.

Mein armer Kopf
Ist mir verrückt,
Mein armer Sinn
Ist mir zerstückt.

Meine Ruh' ist hin,
Mein Herz ist schwer;
Ich finde sie nimmer
Und nimmermehr.

Nach ihm nur schau' ich
Zum Fenster hinaus,
Nach ihm nur geh' ich
Aus dem Haus.

Sein hoher Gang,
Sein' edle Gestalt,
Seines Mundes Lächeln,
Seiner Augen Gewalt,

Und seiner Rede
Zauberfluß,
Sein Händedruck,
Und ach sein Kuß!

Meine Ruh' ist hin,
Mein Herz ist schwer;
Ich finde sie nimmer
Und nimmermehr.

Mein Busen drängt
Sich nach ihm hin.
Ach dürft' ich fassen
Und halten ihn,

Und küssen ihn,
So wie ich wollt',
An seinen Küssen
Vergehen sollt'!

Nacht ist schon hereingesunken,
Schließt sich heilig Stern an Stern,
Große Lichter, kleine Funken
Glitzern nah und glänzen fern;
Glitzern hier im See sich spiegelnd,
Glänzen droben klarer Nacht,
Tiefsten Ruhens Glück besiegelnd
Herrscht des Mondes volle Pracht.

LYNKEUS DER TÜRMER
auf der Schloßwarte singend

Zum Sehen geboren,
Zum Schauen bestellt,
Dem Turme geschworen,
Gefällt mir die Welt.
Ich blick in die Ferne,
Ich seh in der Näh,
Den Mond und die Sterne,
Den Wald und das Reh.
So seh ich in allen
Die ewige Zier,
Und wie mirs gefallen,
Gefall ich auch mir.
Ihr glücklichen Augen,
Was je ihr gesehn,
Es sei, wie es wolle,
Es war doch so schön!

Am 18. Juni 1788 kehrte Goethe von Italien nach Weimar zurück. Wenig später stand ihm im Weimarer Park ein hübsches, einfaches Mädchen gegenüber, das ihm eine Bittschrift ihres notleidenden Bruders überreichte. Christiane Vulpius, die damals dreiundzwanzig Jahre alt war, fand mit dieser Begegnung das Glück ihres Lebens. Den 12. Juli 1788 haben Goethe und Christiane später als ihren Hochzeitstag gefeiert, obwohl sie erst viel später, 1806, getraut wurden. Fünf Kinder hat Christiane geboren, nur der erste Sohn, August, blieb am Leben. Als Christiane 1816 starb, blieben Goethe sein Sohn August, dessen Frau Ottilie und die Enkel Walther, Wolfgang und Alma. 1830 starb August auf einer Reise in Italien. Bis zu seinem Tod bestand nun Goethes Familie aus der Schwiegertochter Ottilie und den Enkelkindern, die er zärtlich liebte.

Christiane Vulpius gezeichnet von Goethe.

GEFUNDEN

Ich ging im Walde
So für mich hin,
Und nichts zu suchen,
Das war mein Sinn.

Im Schatten sah ich
Ein Blümchen stehn,
Wie Sterne leuchtend,
Wie Äuglein schön.

Ich wollt es brechen,
Da sagt' es fein:
Soll ich zum Welken
Gebrochen sein?

Ich grub's mit allen
Den Würzlein aus,
Zum Garten trug ich's
Am hübschen Haus.

Und pflanzt' es wieder
Am stillen Ort;
Nun zweigt es immer
Und blüht so fort.

Daß Goethe sich ein junges Mädchen ins Haus nahm, sorgte für Klatsch und böse Worte in Weimar. Die Hofgesellschaft gönnte es Christiane nicht, die Auserwählte des Dichters zu sein. Goethes Mutter gehörte zu den wenigen, die Verständnis für Goethes Liebe hatten. Sie schrieb freundliche, liebevolle Briefe, und bei einem Besuch Christianes in Frankfurt verstanden beide sich ausgezeichnet.

Aus Goethes Briefen an Christiane:

12. August 1792
Ich melde dir, meine Liebe, daß ich heute nachmittag glücklich hier angekommen bin, daß es in meinem Hause ganz ruhig ist und daß ich nur wünschte, du wärest bei mir... Nun wird zuerst an dein Zettelchen gedacht und für das Krämchen gesorgt. Lebe wohl, küsse den Kleinen und schreibe mir was er macht... Meine Mutter hat mir einen sehr schönen Rock und Karako für dich geschenkt, den ich dir sogleich mitschicke, denn ich kann dir, wie du weißt, nichts zurückhalten. Dabei liegen Zwirnbänder wie du sie verlangtest. Das andre kommt nach und nach. Lebe wohl! meine Liebste.

Im Lager bei Verdun d. 10. Sept. 1792
Ich habe Dir schon viele Briefchen geschrieben und weiß nicht, wann sie nach und nach bei Dir ankommen werden. Ich habe versäumt, die Blätter zu numerieren, und fange jetzt damit an. Du erfährst wieder, daß ich mich wohl befinde, Du weißt, daß ich Dich herzlich lieb habe. Wärst Du nur jetzt bei mir! Es sind überall große breite Betten, und Du solltest Dich nicht beklagen, wie es manchmal zu Hause geschieht... Denke nur! Wir sind so nah an Champagne und finden kein Glas Wein. Auf dem Frauenplan soll's besser werden, wenn nur erst mein Liebchen Küche und Keller besorgt.
Sei ja ein guter Hausschatz und bereite mir eine hübsche Wohnung. Sorge für das Bübchen und behalte mich lieb...

Goethes Sohn August.

21. August 1792
...Ich wünsche ein Mäuschen zu sein und beim Auspacken zuzusehen. Es hat mir recht viel Freude beim Einpacken gemacht. Hebe nur alles wohl auf...

5. August 1798
Hier schicke ich dir, mit einem herzlichen Wunsche zu deinem Geburtstag, einiges Obst, damit du es mit August verzehrst und dich dabei meiner Liebe erinnerst...

Christiane und August.

Wo Anmaßung mir gut gefällt?
An Kindern: denen gehört die Welt!

Daß Goethe ein Kinderfreund war, wissen wir aus seinen Erinnerungen und aus vielen Briefen und Tagebüchern. Der kleine Fritz von Stein lebte bei ihm in der Zeit, bevor Goethe nach Italien fuhr. Später bevölkerten sein Sohn August, noch später dann die Enkelkinder sein Haus. Für sie war Goethe ein geduldiger Großvater, der sie gerne um sich hatte und sich viel mit ihnen beschäftigte.

Goethe an die Mutter, 7.12.1783

Ich weiß nicht, ob Ihnen schon geschrieben ist, daß ich den Sohn der Oberstallmeister von Stein, meiner wertesten Freundin, bey mir habe, ein gar gutes schönes Kind von zehn Jahren, der mir viel gute Stunde macht und meine Stille und Ernst erheitert.

Aus Fritz von Steins Erinnerungen:

Ich war etwa neun Jahre, als mich Goethe zu sich nahm, welches ich die glücklichste Periode meiner Jugend nennen darf. Die Liebe, mit der er meine kleinen Wünsche erfüllte, suchte ich durch Anstrengungen zu verdienen. Durch Diktieren suchte er meine unfertige Handschrift auszubilden, und dadurch, daß er mir seine Wirtschaftsbücher und Rechnungen zu führen übergab, meine Fertigkeit im Rechnen zu üben. Dieses Glück hat nur zwei Jahre gedauert; als Goethe eine Reise nach Karlsbad und von da nach Italien unternahm, blieb ich noch ein halbes Jahr in seinem Hause, zog jedoch zuletzt wieder zu meinen Eltern, weil es mir in dem Hause zu einsam war.

Aus den Erinnerungen seines Bruders Carl:

Ich war sehr eingenommen von Goethen, woran wohl hauptsächlich das bewundernde Urteil meines Hofmeisters über ihn schuld sein mochte, und dann das unterhaltende gesellige Wesen Goethens, gegen mich und meine Brüder, der uns mit in sein neu Gartenhaus nahm, wo wir Eierkuchen buken, was er mir lehrte in der neuen Küche. Auch schenkte er mir den ersten Degen und die erste goldene Uhr.
Durch ihn kamen auch gymnastische Übungen in Schwung, woran man früher in höheren Zirkeln nicht anders gedacht hatte als an unschickliche Beschäftigungen. Wir lernten also auch auf Stelzen gehen, baden, schwimmen, ja der Herzog ließ sogar mir und meinen jüngeren Brüdern in unserem damaligen Hofe ein Seil zum Seiltanzen aufspannen.

K. v. Lyncker:

Als aber später hier die Schwanseewiesen [auf Anregung Goethes] überschwemmt wurden, gab der Herzog dort größere Feste, sogar Eismaskeraden und Illuminationen, denen die Durchlauchtigsten Damen und der Adel beiwohnten. Wir Knaben erschienen gewöhnlich nur zweimal die Woche, um unsere Lehrstunden nicht zu sehr zu vernachlässigen, und der Herzog, sowie Goethe, ließen uns Kunststücke erlernen. Wir mußten nämlich in vollem Schlittschuhfahren Äpfel mit bloßen Degenspitzen aufspießen, über Stangen springen, wurden gleich Hasen mit Parforcepeitschen gehetzt; ja man schoß aus nur mit Pulver geladenen Pistolen hinter dem flüchtigen Wilde drein, welches für uns die größte Lust war.

Heinrich Voß, 1804:

Ich bin diesmal Hofmeister bei August gewesen, was mir gar große Freude machte, besonders dadurch, daß ich Goethe zeigen konnte, wie gerne ich für seine Güte und Liebe erkenntlich sein möchte. Wenn du doch einmal Zeuge wärst, mit welcher Liebe er diesen seinen einzigen Sohn liebt. Fünf Kinder sind ihm gestorben, und noch jetzt denkt er oft mit Rührung der Entschlafenen... August war sehr krank, und acht Tage hindurch ist Goethe nicht von seinem Bett gewichen. Als er genesen war, stellte er ein Freudenfest an!

Gottfried Herder an seinen Vater, 19. 12. 1788:

Wir haben schon seit vierzehn Tagen keinen Brief von Ihnen bekommen, und die Mutter war recht traurig. Der Herr Geheimderat Goethe heiterte uns aber wieder auf...

August Herder an den Vater, Winter 1788/89:

Der Herr Geheimrat von Goethe hat uns zwei Bilder geschickt, wo Brunnen in Rom ganz mit Eis überzogen waren, und alles beschneit war, und ließ dabei sagen: so sähe es jetzt in Rom aus, aber sie wärmten sich am Vesuv.

Caroline Herder an ihren Mann, 2. 1. 1789:

Die Neujahrsgeschenke [einer Gönnerin Herders] für die Kinder sind gewiß über zehn bis zwölf Louisdor wert. Ich war recht verlegen darüber. Nun wollten wir uns hinsetzen und ihr schreiben, da trat Goethe herein... Er nahm an der Freude teil, schrieb den Kindern ihre Briefe, die sie wieder abschrieben, und buchstabierte dem Emil den seinigen vor; in einer Stunde war alles expediert.

Caroline Riemer:

Einige Jahre nach Goethes Ankunft in Weimar stellte er für die Kinder seiner Bekannten in weiter Ausdehnung ein Eiersuchen an, das meistens im Freien an der sogenannten Schnecke gehalten wurde. Bei plötzlich eingetretenen Regenwetter wurde das Fest ins Theater verlegt, was jedoch nur selten geschah. Entweder waren die Frühlinge damals wärmer und zeitiger als jetzt, oder, was wahrscheinlicher ist, das Fest der roten Eier fand nach Ostern, vermutlich um Himmelfahrt statt, denn immer grünten die Linden und die Hecke um die Schnecke, auch konnte die Gesellschaft einiger Eltern der Kinder und anderer Freunde Goethes im Freien stundenlang ausdauern. Die Familie Herder fehlte nie dabei. Die Mutter hatte eine besondere Gabe, die Kinder an sich zu ziehen, sie durch Erzählungen und Märchen zu unterhalten, ihre Spiele zu leiten, sie war also hier ganz an ihrem Platz.

Die in allen Farben prangenden Eier waren an zwei Orten in den Hecken verteilt, niedriger für die kleinen, höher für die größeren Kinder. Das Nest mit dem die Eier legenden Hasen,

hier aus Zuckerteil geformt, fehlte nie. Pyramidenartige Erhöhungen der geschnittenen Hecken waren mit Bratwürsten und ähnlichen eßbaren Dingen behangen. Danach sprangen die größeren Knaben.
Nach geendigtem Eiersuchen wurden die Kinder mit Backwerk, Mandelmilch, Himbeersaft und ähnlichen erfrischenden Getränken bewirtet. Spiele jeder Art wurden auf der nahen Wiese und im engeren Kreis des Schneckenbezirks getrieben. Erst mit einbrechender Nacht zog die frohe Schar heim, im voraus sich auf die Wiederholung im nächsten Frühjahr freuend.

F. de la Motte Fouqué:

Laßt mich's hier einschalten, was mir Fritsch in traulichen Stunden mitgeteilt hat, wie Goethe ehedem – es mochte in den späteren Dreißigen seiner Lebensjahre sein – Kinderfeste bei sich zu halten pflegte. Da mußten ihm die näher Befreundeten [Fritschens Vater, ein angesehener Mann in Weimarischem Zivildienst, endlich Minister, gehörte dazu] ihre Kindlein, Mädchen und Bübchen, ohne weiteres – nicht Eltern, nicht Aufseher durften sie begleiten – anvertrauen. Es galt hauptsächlich geselligem Tanz. Goethe empfing in völliger Hofgala seine Gästchen, die er allesamt: »Ihr kleinen Menschengesichter« zu titulieren pflegte. Er selbst eröffnete ganz feierlich den Ball mit einer der Dämchen... Nach dieser Feierlichkeit aber ließ er dem kindlichen Getriebe freien Lauf, doch so, daß er die »kleinen Menschengesichter« als getreuer Aufseher keinen Augenblick aus den Augen verlor, ihren Tanz, ihre Genüsse bewachend, so daß keines Nachteil für Gesundheit oder Sitte zu erleiden hatte, und dennoch allen unter

dieser väterlich gastlichen Obhut unaussprechlich frei und wohl zu Sinne war, und sie auch wiederum zu rechter Zeit, gehörig abgekühlt und wohl eingepackt, heimbefördert wurden.

G. Moltke:

Mitunter waren wir Schauspielerkinder bei Frau von Goethe eingeladen, dann gings natürlich unruhig zu. – Plötzlich trat die allgefürchtete Exzellenz im langen Hausrock herein. Rasch flüchteten wir zu unserer guten Fee, die mich kleinen Unband liebreich umschloß. Der Gestrenge setzte sich und rief: »Kleiner Moltke! komm einmal her!« Zaghaft ging ich zu ihm, er aber nahm mich freundlich auf sein Knie und fragte, was wir denn getrieben hätten. Wir hätten getanzt und gesungen, erzählte ich, im Garten Haschen gespielt, wären an der Laube emporgeklettert und hätten den Herlitzchenbaum geplündert. – »Was, meine Herlitzchen, die ich selbst so gerne esse, hast du kleiner Schlingel mir stibitzt? I, das ist ja recht schön!« Mit einem wohlwollenden Backenstreich entließ mich der gestrenge Herr, und Frau von Goethe schickte uns Kinder nach Hause.

W. G. Gotthardi:

Goethe trat in die Loge. In so nahen Gesichtskreis war der »Geheimrat« mir noch nie gekommen. Seine Erscheinung hatte stets etwas Ehrfurchtgebietendes für den Knaben gehabt; jetzt überkam mich Angst vor dem mächtigen Mann, dem ich ein Stück Eigentum (die Logenbrüstung) besetzt hielt. Goethe erblicken und zitternd zum Sprung herunter mich anschicken

war eins. – Da faßte meinen Arm eine starke Hand. Entsetzen faßte mich. – »Bleib getrost, mein Sohn, wir beide haben Raum genug. Wer wird den andern ohne Not verdrängen?« Ich glaubte zu träumen. Und als ich mich jäh umwandte, ruhete sein großes Auge liebreich und warm auf mir. Den Blick werd ich nie vergessen, nie jene Worte. Wie stolz und vornehm hatte ich mir den alten Herrn gedacht, auch da, wo er zuweilen, die Arme auf dem Rücken, dem Stelzenlauf oder dem Ballspiel von uns Knaben auf dem Theaterplatz wohlgefällig zuschaute. Jetzt erschien er mir kleiner, »menschlicher«. Mein Respekt vor dem Alten war im Sinken, dafür aber begann ich,

Dekorationsentwurf von Goethe zu »Zauberflöte«.

ihn zu lieben. Er reichte mir sein Textbuch zum Nachlesen, und bald entspann sich eine Unterhaltung, in deren Verlauf er, der große Mensch, dem kleinen seine winzige Lebensgeschichte entlockte. Er war ein Kind mit dem Kinde. – Wer war

glücklicher als der Knabe? Noch oft nahm er den Platz neben dem Eigner ein, der ihn, neben steter freundlicher Ansprache mit Erkundigung nach den Fortschritten in den Schulwissenschaften, auch materiell mit manch Stücklein Kuchen, hin und wieder auch einem Glas Wein aus seinem Flaschenkorb erquickte.

Goethes Enkel Walther.

Denn wir können die Kinder nach unserem Sinne nicht formen;
So wie Gott sie uns gab, so muß man sie haben und lieben,
Sie erziehen aufs beste und jeglichen lassen gewähren.
Denn der eine hat die, die anderen andere Gaben;
Jeder braucht sie, und jeder ist doch nur auf eigene Weise
Gut und glücklich.

Lili Parthey, 23. 7. 1823:

Ja, es sind liebe Kinder, sagte Goethe, und gut und tüchtig und hübsch dazu... und sie vertragen sich gar gut mit dem Großvater, besonders wenn er ihnen Pfeffernüsse gibt.

Eckermann, 27.2.1824:

...und der kleine Wolf spielte erst mit Rechenpfennigen, die er zählte, dann mit der Jagd. Goethe schellte. Daraus schloß der kleine Wolf, daß er zu Bett solle, und sagte betreten: lieber Opapa, du wirst mich doch nicht fortschicken! Laß mich doch hier. Goethe wich aus und kitzelte ihn und schäkerte mit ihm. Stadelmann kam, und Goethe winkte ihm, daß er den Wolf hinaufbringen solle. Der Wolf aber setzte sich fest auf seinen Stuhl und machte ein böses Gesicht und sagte nein, er wolle nicht. Stadelmann bat, darauf hörte er nicht. Goethe sprach ihm auch etwas Gutes vor und sagte, daß wir andern nun auch zu Bett gehen wollten und dergleichen. Da gab der Kleine denn endlich nach und ließ sich forttragen.

Eckermann, 22.3.1825:

Goethe streckte mir seine Hand entgegen. »Wir haben alle verloren« [durch den Brand des Theaters], sagte er, »allein was ist zu tun! Mein Wölfchen kam diesen Morgen früh an mein Bette. Er faßte meine Hand, und indem er mich mit großen Augen ansah, sagte er: So geht's den Menschen!«

A. Stahr, 18.9.1826:

Einstmals am Geburtstag eines seiner Enkel spielte eine Knabenschar ihr Räuber- und Soldatenspiel. Der Räuberhauptmann war gefangen und in das Gartenhaus gesperrt, als der alte Goethe zu den Knaben hinaustrat. »Was seid ihr?« fragte er. »Räuber!« »Wo ist euer Hauptmann?« – »Gefangen!« –

»Und ihr schämt euch nicht, euern Hauptmann im Gefängnis zu lassen?« – »Ja, aber die andern haben zugeschlossen!« – »Ist das ein Hindernis für ordentliche Kerls, die ihren Hauptmann befreien wollen?« Und so ermutigt, stieß die Jüngerschaft mit lautem Hurra die Türe ein und holte den Gefangenen heraus, während der alte Herr lächelnd in sein Grübelstübchen zurückkehrte.

Goethe in seinem Arbeitszimmer, seinem Schreiber John diktierend, 1831.

A. Frankl, um 1830:

Goethe beobachtete die Enkel in zärtlichster Weise, nahm an ihrem Lernen teil und etablierte jedem in seinem Studierzimmer einen Schreibtisch.

Goethes Enkelin Alma.

D. Meier, um 1830:

Der Goethesche Hauslehrer erzählte, wie zerstreuend das gesellige Leben und wie gering die Strenge der Arbeitsordnung gewesen sei. So hatte der Lehrer dem Großvater zu klagen, daß die beiden Brüder nicht zur rechten Zeit aufstehen. Er erhielt die Weisung, sie zu überzeugen, wie unrichtig dies gehandelt sei. Als er erwiderte, das habe er schon versucht, aber vergebens: So sagen Sie, der Großvater will es. – Nach einigen Tagen berichtete der Hauslehrer, auch das habe nichts geholfen. Hm! – und das Gespräch war zu Ende.

Eckermann, 29.3.1830:

Wolf machte seinem lieben Großvater viel zu schaffen. Er kletterte auf ihm herum und saß bald auf der einen Schulter, bald auf der andern. Goethe erduldete alles mit der größten Zärtlichkeit, so unbequem das Gewicht des zehnjährigen Knaben seinem Alter auch sein mochte. Aber lieber Wolf, sagte die Gräfin Egloffstein, plage doch deinen guten Großvater nicht so entsetzlich! er muß ja von deiner Last ganz ermüdet werden. Das hat gar nichts zu sagen, erwiderte Wolf; wir gehen bald zu Bett, und da wird der Großvater Zeit haben, sich von dieser Fatigue ganz vollkommen wieder auszuruhen. Sie sehen, nahm Goethe das Wort, daß die Liebe immer ein wenig impertinenter Natur ist.

Soret, 8.3.1838:

Wolf ist der Liebling des Großvaters und oft bei ihm. Goethe erzählte mir: »Nun bringt mich dieses Kind jeden Abend zu Bett, zieht mir die Krawatte aus, hilft mir beim Umziehen.« Kürzlich war er müde und ich sagte ihm, er solle schlafen gehen. »Nein«, rief er, »es ist noch nicht neun Uhr, ich muß zuerst den Großpapa zu Bett bringen!«

Ob es Goethe paßte oder nicht, so berühmt wie er war, mußte er es ertragen, daß die Verehrer in Scharen nach Weimar kamen und er sie, wenn auch nur kurz und oft kurz angebunden, empfangen mußte. Berühmte Leute besuchte man damals, wie man heute ein Kunstwerk oder ein Museum aufsucht.

Das Empfangszimmer in Goethes Haus.

Aus ungenannter Quelle

Tieck erlaubte sich Goethe aufzusuchen. Dieser aber erteilte dem Diener den Auftrag, den fremden Herrn abzuweisen. Er besann sich jedoch und trat selbst in das Vorzimmer. »Sie wünschen mich zu sehen?« fragte er den sich ehrerbietig vor ihm Verneigenden. »Gewiß, Herr Geheimer Rat«, antwortete Tieck. »Nun, so sehen Sie mich«, sagte Goethe, indem er sich

langsam um seine Achse drehte. »Haben Sie mich gesehen?« »Unzweifelhaft«, antwortete Tieck, der sich von seiner Verblüffung bereits erholt hatte. »Nun, so können Sie wieder gehen«, sagte der Olympier, indem er sich umwandte. »Noch einen Augenblick«, rief Tieck ihm nach. »Was wünschen Sie noch?« fragte Goethe unwillig. »Nur eine Kleinigkeit«, antwortete Tieck, indem er mit der Hand in die Tasche fuhr. »Was kostet die Besichtigung?« Eine solche Keckheit war Goethe noch nicht entgegengetreten. Wortlos betrachtete er den kühnen Besucher, und da gewahrte er soviel Ungewöhnliches, daß sein Zorn sofort verrauschte. »Sie gefallen mir«, sagte er, »treten Sie bei mir ein.«

St. Schütze, am 20. 9. 1804

Bei der Menge von Fremden, die Goethen besuchen, ist es begreiflich, warum er so einsilbig ist. Das macht es ihm möglich, so viele vor sich zu lassen; denn ein paar Minuten reichen hin, den andern stillschweigend in Verlegenheit zu setzen und zum Rückzuge zu nötigen.

Charlotte v. Stein, im April 1798

Eben komme ich von einem großen Déjeuner von Goethe, der seine mit Eleganz und schönen Künsten möblierten Zimmer einmal mit hohen Herrschaften hat beehren wollen. Alle hiesigen Fürstlichkeiten und die von Gotha waren da.

Charlotte v. Kalb, im Dezember 1798

Gestern mittag war ich bei Goethe. Es waren da Dichter, die nichts sagten, Hofleute und ordentliche Leute; ich allein war

etwas unordentlich, das heißt, ich habe gesprochen und etwas zu lebhaft für die Zeit.

Goethe in Stuttgart, 1797.

E. Gengst, am 27.8.1818

Der treue Diener Goethes, Karl, erhielt am 27. August früh Befehl, zwei Flaschen Rotwein nebst zwei Gläsern heraufzubringen und in den sich gegenüberliegenden Fenstern aufzustellen. Nachdem dies geschehen, beginnt Goethe seinen Rundgang im Zimmer, wobei er in abgemessenen Zwischenräumen an einem Fenster stehen bleibt, dann am andern, um

jedesmal ein Glas zu leeren. Nach einer geraumen Weile tritt Rehbein, der ihn nach Karlsbad begleitet hatte, ein. Goethe: »Ihr seid mir ein schöner Freund! Was für einen Tag haben wir heute und welches Datum?«
Rehbein: »Den 27. August, Exzellenz.«
Goethe: »Nein, es ist der 28. und mein Geburtstag.«
Rehbein: »Wir haben den 27.«
Goethe: »Es ist nicht wahr! Wir haben den 28.«
Rehbein determiniert: »Den 27.«
Goethe klingelt, Karl tritt ein: »Was für ein Datum haben wir heute?«
Karl: »Den 27., Exzellenz.«
Goethe: »Daß dich – Kalender her!« Karl bringt ihn.
Goethe nach langer Pause: »Donnerwetter! Da habe ich mich umsonst besoffen.«

Ich brauche nur in unserm lieben Weimar zum Fenster hinaus zu sehen, um gewahr zu werden, wie es bei uns steht. – Als neulich der Schnee lag und meine Nachbarskinder ihre kleinen Schlitten auf der Straße probieren wollten, sogleich war ein Polizeidiener nahe, und ich sah die armen Dingerchen fliehen, so schnell sie konnten. Jetzt, wo die Frühlingssonne sie aus den Häusern lockt und sie mit ihresgleichen vor ihren Türen gerne ein Spielchen machten, sehe ich sie immer geniert, als wären sie nicht sicher und als fürchteten sie das Herannahen irgendeines polizeilichen Machthabers. – Es darf kein Bube mit der Peitsche knallen oder singen oder rufen, sogleich ist die Polizei da, es ihm zu verbieten. Es geht bei uns alles dahin, die liebe Jugend frühzeitig zahm zu machen und alle Natur, alle Originalität und alle Wildheit auszutreiben, so daß am Ende nichts übrig bleibt als der Philister.

Goethes Hausgarten in Weimar.

Viele Gäste wünsch ich heut
mir zu meinem Tische!
Speisen sind genug bereit:
Vögel, Wild und Fische.
Eingeladen sind sie ja,
Habens angenommen.
Hänschen, geh und sieh dich um!
Sieh mir, ob sie kommen!

Schöne Kinder hoff ich nun,
Die von gar nichts wissen,
Nicht, daß es was Hübsches sei,
Einen Freund zu küssen.
Eingeladen sind sie all,
Habens angenommen.
Hänschen, geh und sieh dich um!
Sieh mir, ob sie kommen!

Frauen denk ich auch zu sehn,
Die den Ehegatten,
Ward er immer brummiger,
Immer lieber hatten.
Eingeladen wurden sie,
Habens angenommen.
Hänschen, geh und sieh dich um!
Sieh mir, ob sie kommen!

Junge Herrn berief ich auch,
Nicht im mindsten eitel,
Die sogar bescheiden sind
Mit gefülltem Beutel;
Diese bat ich sonderlich,
Habens angenommen.
Hänschen, geh und sieh dich um!
Sieh mir, ob sie kommen!

Männer lud ich mit Respekt.
Die auf ihre Frauen
Ganz allein, nicht nebenaus
Auf die schönste schauen.

Sie erwiderten den Gruß,
Habens angenommen.
Hänschen, geh und sieh dich um!
Sieh mir, ob sie kommen!

Dichter lud ich auch herbei,
Unsre Lust zu mehren,
Die weit lieber ein fremdes Lied
Als ihr eignes hören.
Alle diese stimmten ein,
Habens angenommen.
Hänschen, geh und sieh dich um!
Sieh mir, ob sie kommen!

Doch ich sehe niemand gehn,
Sehe niemand rennen!
Suppe kocht und siedet ein,
Braten will verbrennen.
Ach, wir habens, fürcht ich nun,
Zu genau genommen!
Hänschen, sag, was meinst du wohl?
Es wird niemand kommen.

Hänschen, lauf und säume nicht,
Ruf mir neue Gäste!
Jeder komme, wie er ist,
Das ist wohl das beste!
Schon ists in der Stadt bekannt,
Wohl ists aufgenommen.
Hänschen, mach die Türen auf:
Sieh nur, wie sie kommen!

Inmitten seiner Familie, die nun nur noch aus der Schwiegertochter Ottilie und den drei Enkeln bestand, führte Goethe im Alter ein einsames, von Arbeit erfülltes Leben. Sein Helfer war der Sekretär Eckermann in diesen Jahren. 1827 begann Goethe seine Werke in einer »Ausgabe letzter Hand« zu sammeln. »Wilhelm Meisters Wanderjahre« (1829), wurden zum Bekenntnis seiner Lebenserfahrung, seiner Ideen der Menschenerziehung. Im gleichen Jahr ließ er, zum Gedenken an seine Freundschaft, den »Briefwechsel mit Schiller« veröffentlichen. Und kurz vor seinem Tod vollendete er das große Werk seines Lebens: den zweiten Teil vom »Faust«.

Am 22. März 1832, vormittags halb zwölf, ist Goethe gestorben.

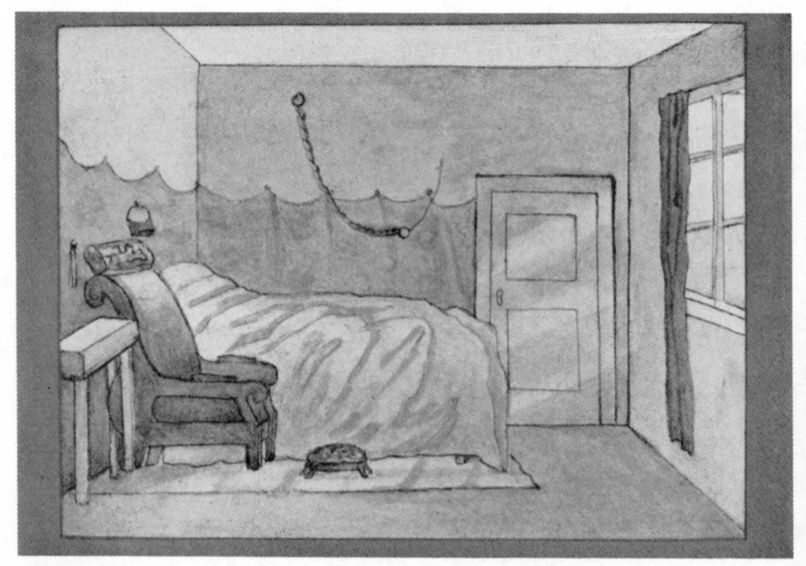

Goethes Sterbezimmer.

St. Nepomuks Vorabend

Karlsbad, den 15. Mai 1820

Lichtlein schwimmen auf dem Strome,
Kinder singen auf der Brücken,
Glocke, Glöckchen fügt vom Dome
Sich der Andacht, dem Entzücken.

Lichtlein schwinden, Sterne schwinden;
Also löste sich die Seele
Unsres Heil'gen, nicht verkünden
Durft' er anvertraute Fehle.

Lichtlein, schwimmet! Spielt, ihr Kinder!
Kinder-Chor, o singe, singe!
Und verkündiget nicht minder,
Was den Stern zu Sternen bringe.

Beherzigung

Ach, was soll der Mensch verlangen?
Ist es besser, ruhig bleiben?
Klammernd fest sich anzuhangen?
Ist es besser, sich zu treiben?
Soll er sich ein Häuschen bauen?
Soll er unter Zelten leben?
Soll er auf die Felsen trauen?
Selbst die festen Felsen beben.

Eines schickt sich nicht für alle.
Sehe jeder, wie er's treibe,
Sehe jeder, wo er bleibe,
Und, wer steht, daß er nicht falle.

TALISMANE

Gottes ist der Orient!
Gottes ist der Okzident!
Nord- und südliches Gelände
Ruht im Frieden seiner Hände.

Er, der einzige Gerechte,
Will für jedermann das Rechte.
Sei von seinen hundert Namen
Dieser hochgelobet! Amen.

Mich verwirren will das Irren;
Doch du weißt mich zu entwirren.
Wenn ich handle, wenn ich dichte,
Gib du meinem Weg die Richte.

Ob ich Ird'sches denk' und sinne,
Das gereicht zu höherem Gewinne.
Mit dem Staube nicht der Geist zerstoben,
Dringet, in sich selbst gedrängt, nach oben.

Im Atemholen sind zweierlei Gnaden:
Die Luft einziehn, sich ihrer entladen.
Jenes bedrängt, dieses erfrischt;
So wunderbar ist das Leben gemischt.
Du danke Gott, wenn er dich preßt,
Und dank' ihm, wenn er dich wieder entläßt.

Hätte Gott mich anders gewollt,
So hätt' er mich anders gebaut;
Da er mir aber Talent gezollt,
Hat er mir viel vertraut.

Ich brauch' es zur Rechten und Linken,
Weiß nicht, was daraus kommt;
Wenn's nicht mehr frommt,
Wird er schon winken.

Teilen kann ich nicht das Leben,
Nicht das Innen noch das Außen,
Allen muß das Ganze geben,
Um mit euch und mir zu hausen.
Immer hab' ich nur geschrieben,
Wie ich fühle, wie ich's meine,
Und so spalt' ich mich, ihr Lieben,
Und bin immerfort der Eine.

Ein reiner Reim wird wohl begehrt,
Doch den Gedanken rein zu haben,
Die edelste von allen Gaben,
Das ist mir alle Reime wert.

GESTÄNDNIS

Was ist schwer zu verbergen? Das Feuer!
Denn bei Tage verrät's der Rauch,
Bei Nacht die Flamme, das Ungeheuer.
Ferner ist schwer zu verbergen auch
Die Liebe; noch so stille gehegt,
Sie doch gar leicht aus den Augen schlägt.
Am schwersten zu bergen ist ein Gedicht;
Man stellt es untern Scheffel nicht.
Hat es der Dichter frisch gesungen,
So ist er ganz davon durchdrungen;
Hat er es zierlich nett geschrieben,
Will er, die ganze Welt soll's lieben.
Er liest es jedem froh und laut,
Ob es uns quält, ob es erbaut.

Lesebuch

Wunderlichstes Buch der Bücher
Ist das Buch der Liebe;
Aufmerksam hab' ich's gelesen:
Wenig Blätter Freuden,
Ganze Hefte Leiden;
Einen Abschnitt macht die Trennung.
Wiedersehn – ein klein Kapitel,
Fragmentarisch! Bände Kummers,
Mit Erklärungen verlängert,
Endlos, ohne Maß.
O Nisami! – doch am Ende
Hast den rechten Weg gefunden;
Unauflösliches, wer löst es?
Liebende sich wieder findend.

Ein »umrändertes Blättchen« von Goethe.

Wie wertvoll ist eine Goethe-Locke?

Zweimal färbt sich das Haar: zuerst aus dem Blonden ins Braune,
Bis das Braune sodann silbergediegen sich zeigt. Goethe

Ein Zeitgenosse strich sich kürzlich bedauernd über den Kopf und bemerkte traurig: »Man hätte rechtzeitig etwas weglegen sollen.« Was immer der Nachwelt von diesem Manne erhalten bleibt, sein Haupthaar ist es nicht, da es vorzeitig ausgefallen ist. Ob dieser kluge Mann noch genügend Ruhm erlangen wird, ist schwerlich vorauszusagen. Aber: je mehr Ruhm uns umgibt, um so kostbarer wird unser Haar!
Nach dem Tode des Beatle John Lennon berichtete eine deutsche Illustrierte, daß schon zu seinen Lebzeiten eine seiner Haarlocken zu 5000 DM gehandelt wurde. Darüber mochte wohl mancher staunen.
Zwei Tage später stand in einer großen deutschen Tageszeitung auf der Kunsthandel- und Antiquitätenseite:

J. W. v. Goethe
Haarlocke (gerahmt), mit Echtheitsbestätigung
Tel.

Ich freute mich!
Der Gedanke an diese Locke ließ mich nicht mehr los, und ich dachte über Goethes Lebensweg nach.
Was ist das für eine Locke, die uns ein Händler so frank und frei anbietet? Frank und frei – na ja! Sie würde sicher noch einiges mehr kosten als die Beatle-Locke.
Wem hatte Goethe sie zum Geschenk gemacht; wer trug sie wohl liebend bei sich?
Hatte er sich in Wetzlar eine Strähne abgeschnitten, um sie Charlotte Buff zu schenken? Hatte die Mutter eine Locke vom kleinen Wolfgang verwahrt? Ist es gar eine gepuderte Locke? Ist sie braun? Grau? Goethes Haar ist bis ins Alter üppig geblieben.
War diese Locke einmal eine Beigabe in einem Brief an Frau von Stein, die er im sonnigen Rom dem Kopf entnahm, um die Freundin wegen seines Fernbleibens zu trösten?
Wem also hatte der Dichter die Locke zugedacht, die nun gerahmt und mit Zertifikat zu kaufen war?

Meine Neugierde konnte nur der befriedigen, der das kostbare Haar besaß und angeboten hatte. Es war ein Raritätenhändler!
Ich sprach am Telefon mit ihm und bekundete mein aufrichtiges Interesse. Aber bei aller Liebe zu Johann Wolfgang Goethe und zu seiner Strähne mußte ich doch wissen, was es mit der Echtheitsbestätigung auf sich hatte, von wann und von wem sie war.
Ich erfuhr, daß nicht etwa ein Barbier, sondern ein Schuldirektor aus Erfurt, der zur Goethezeit gelebt haben soll, dieses Zertifikat ausgestellt hatte. Kannte Goethe ihn gut? Das wußte der Raritätenhändler mir nicht zu sagen.

Ist es eine Locke aus der Werther-Zeit, eine vom jungen Goethe?
Ja, braun ist sie schon!
Und gewiß ist sie teuer?
Oh, er konnte mir eine gute Mitteilung machen:
Die Haarlocke des weltberühmten Klassikers, eines der größten Dichter aller Zeiten, kostet 1000 DM weniger als die Lennon-Locke!
Wie schön, sie ist also preiswert.

Ich habe eine Abbildung dieser Strähne zugeschickt bekommen. Sie befindet sich im blindgeprägten Goldpapierrahmen unter Glas, ist in der Mitte zusammengebunden und erinnert sehr an den Schnurrbart von Salvatore Dali.
Vielleicht sind es hundert, vielleicht zweihundert Haare.
Wollen wir die Rechnung aufmachen, wie kostbar ein einzelnes Dichterhaar ist?
O Dichter! Dein Kopf war wertvoll! Nicht deinen Gipskopf sollten wir uns wieder hinstellen; wir sollten trachten, deine blonden, braunen oder grauen Locken zu erlangen!

Wer aber war dieser Schuldirektor Schubert?
Schätzte der Dichter gar seine Frau, als er in Erfurt weilte?
Sollte die Bekanntschaft ein Geheimnis bleiben? Wo entdeckte der Schulmeister die Haare? Möglicherweise hatte seine Frau sie im Schrank unter dem weißen Linnen versteckt gehalten, oder im Geheimfach des Kirschbaumsekretärs? Liebte sie den Dichter, seine Dichtung und sein Haar und gab ihm zum Tausche ebenfalls eine Locke?

Voll Locken kraus ein Haupt so rund! –
Und darf ich dann in solchen reichen Haaren
Mit vollen Händen hin und wider fahren,
Da fühl ich mich von Herzensgrund gesund. (Goethe)

Warum machte der Herr Schubert eine solche Geheimniskrämerei um die Locke eines unserer Größten, deren Wert er sehr wohl einschätzte?
In deutscher Schreibschrift steht auf dem Zertifikat:

»Goethes Haare / der Schuldirektor Schubert in Erfurt bezeugt die Echtheit derselben, da er Beweise dafür hat, die er aber nicht aus Händen geben will.«

Das vergilbte Papier hat kein Datum. Wir wollen über die Beweise nicht länger nachdenken...
Aber, wer bescheinigt uns die Echtheit der Echtheitsbestätigung?
Unser Raritätenhändler wollte nicht erzählen, wo er die Locke ersteigert und wieviel er dafür ausgegeben hat.
Goethes Locke ruht im Banksafe. Oder ist es gar nicht seine?
Die Zweifel sind erlaubt, denn in einer Anekdoten-Sammlung stieß ich kürzlich auf folgende Geschichte:

Ein Friseur in der Weimarer Altstadt, bei dem sich Goethe mitunter die Haare schneiden ließ, richtete sich eines Tages einen ganz neuen, luxuriösen Laden ein. Als Goethe sich über die Quelle des unverhofften Reichtums erkundigen wollte, begann der Barbier zunächst verlegen zu stottern, rückte dann aber, von seiner Frau bedrängt, doch mit der Wahrheit heraus. Er zeigte auf ein Schild im Hintergrund seines Ladens, auf dem in großen Buchstaben stand:

Echte Goethe-Reliquien. Jede Locke ein Taler.

Goethe mußte über so viel Geschäftstüchtigkeit lachen und erkundigte sich, ob so ein Geschäft denn überhaupt gehe.
»O ja«, erwiderte der pfiffige Figaro, »es kommen ständig Verehrer Eurer Exzellenz, und sogar mit der Post kommen täglich viele Bestellungen.«
Skeptisch erkundigte sich Goethe, wieso er denn die rege Nachfrage befrie-

digen könne, da er doch nur alle paar Wochen zum Haareschneiden komme.
Jetzt mischte sich die Frau des Barbiers wieder ein und gestand mit verschmitztem Lächeln: »Glücklicherweise gibt es noch mehr Köpfe mit solch weißen Haaren – und wo es keine Locken sind, da helfen wir in Gottes Namen mit der Brennschere nach...«

Oh, Goethe

Und an dem Ufer steh ich lange Tage,
das Land der Griechen mit der Seele suchend...

(aus »Iphigenie auf Tauris«)

Auch Goethe suchte das Land der Griechen und meinte das Griechenland der Antike, das von den Dichtern Aischylos, Euripides und Sophokles besungen wurde. Er gestaltete mit seiner »Iphigenie« einen antiken Stoff, und dieses Werk wurde neben dem Faust eine seiner populärsten Bühnendichtungen. Hauptsächlich der »Iphigenie« wegen spricht man von dem Klassiker, dem Olympier Goethe.
Aber den Olymp oder eine griechische Insel sah Goethe nicht. Niemals ist er nach Griechenland, das unter türkischer Hoheit litt, gereist.
Heute würde er es tun, und er würde sich an den Tempeln freuen und den Aufenthalt wie in Italien genießen.

Heute kann es dem Touristen geschehen, daß er bei einem Trödler in der Athener Altstadt am Fuße der Akropolis einige Goethebüsten findet, die verstaubt in einer Ecke herumstehen. Ich habe es selbst erlebt.
Erstaunt sagt man sich: Aha, hier sind sie also!
Denn man hatte sich doch schon gefragt, wo die Gips- oder Porzellanköpfe des Dichters, die man früher auf den Wohnzimmerschränken und Klavieren sah, geblieben sind.
Ist es die Umkehrung der Dinge?
In Goethes Haus standen Nachbildungen der klassischen griechischen Köpfe. Und im Athener Museum, nicht weit von der Altstadt entfernt, sind viele der echten antiken Büsten zu finden.

Goethes Köpfe unterhalb der Akropolis, was soll man dazu sagen? Ich wollte es genau wissen und schrieb deshalb an die Firma Rosenthal, die früher solche Gipsbüsten hergestellt hatte:

Ein Brief der
ROSENTHAL GLAS UND PORZELLAN AG

MODELLNUMMER 81794

21. April 1981

Ihre Anfrage vom 09.04. –
Sehr geehrte Frau Matten,
unter Modellnummer 81794 haben wir früher auch eine Goethebüste angefertigt. Der Entwurf stammte von J. F. Rogge und ist im Jahre 1949 in unsere Kollektion aufgenommen worden.
Seit mindestens 10 Jahren wird diese Figur allerdings nicht mehr hergestellt und inzwischen fehlen leider auch alle technischen Voraussetzungen für eine nachhaltige Produktion. Es ist uns auch nicht bekannt, ob solche Figuren im Handel oder antiquarisch noch angeboten werden oder ob einer unserer Mitbewerber einen solchen Artikel im Programm hat.
Es tut uns außerordentlich leid, daß wir Ihnen nicht weiterhelfen können.
Mit freundlichen Grüßen
...

Zeugnis amtlicher Tätigkeit Goethes

Bekanntmachung betreffend die Veterinär-Anstalt in Jena

Ihro Königliche Hoheit der Großherzog haben, unter andern vielen Wohltaten, welche Sie Ihro Landen, besonders auch der Stadt Jena zugewendet, eine Heilschule für Pferde und andere Haustiere errichtet. Wenn nun jeder verständige Staatsbürger die Wichtigkeit und Notwendigkeit einer solchen Anstalt mit Dank zu schätzen weiß, so gibt es doch noch kurzsichtige Menschen genug, welche, wegen eines äußeren Scheins, den wichtigen und heilsamen Zweck verkennen. Tritt nun Roheit eines ungebildeten Betragens und leidenschaftliche Gemütsart hinzu, so ist vorauszusehen, ja schon durch die Erfahrung erwiesen, daß allerlei widerwärtiges Beginnen sich ereignen werde. Man sieht sich also veranlaßt, einen jeden Hausvater aufzufordern, daß er Kinder und Gesinde über die Wichtigkeit jener Anstalt ernstlich aufkläre, sodann auch kräftig verwarne, alles was derselben entgegen wirken könnte, sorgfältig zu vermeiden. Wie man denn hiermit erklärt, daß jede unziemliche Nachrede, Schimpf oder wohl gar Bedrohung, welche der geringsten bei dieser Schule angestellten Person oder irgend jemanden, der damit in Verbindung steht, widerführe, auf geschehene Anzeige, sogleich untersucht und gebührend bestraft werden solle.

»Nimm doch Goethe«?

Als die Poesiealben gerade unmodern zu werden drohten, hatten die Hersteller und ihre Werbefachleute die rettende Idee. Sie bedruckten diese kleinen Büchlein mit all den bunten Figuren wie Biene Maja, Heidi oder Wicki, die ihren Ruhm dem Fernsehen verdanken, oder mit den süßen Püppchen in Rüschenkleidern der Sarah Kay. Und prompt wurden die Kinder wieder angelockt. Auch die Großmütter freuen sich, weil es in dieser modernen Zeit noch etwas gibt, an dem sie selbst Spaß hatten. Kreiselspiele kennt man nicht mehr, doch die Poesiealben blieben uns erhalten.
So müssen sie alle noch in die Büchlein schreiben: die Eltern und Tanten, die Freunde, Klassenkameraden und Lehrer.
Die Tanten kennen noch die alten Sprüche von den verwelkenden Blumen und der nie welkenden Freundschaft und Treue, vom reinen Herzen und frohem Sinn. Die Kinder sind schon etwas pfiffiger; sie wollen diese Sprüche nicht mehr abschreiben. Sie knicken die Ecken um und schreiben darauf: nicht gucken. Guckt man dennoch, liest man es auch: Ätsch, doch geguckt!

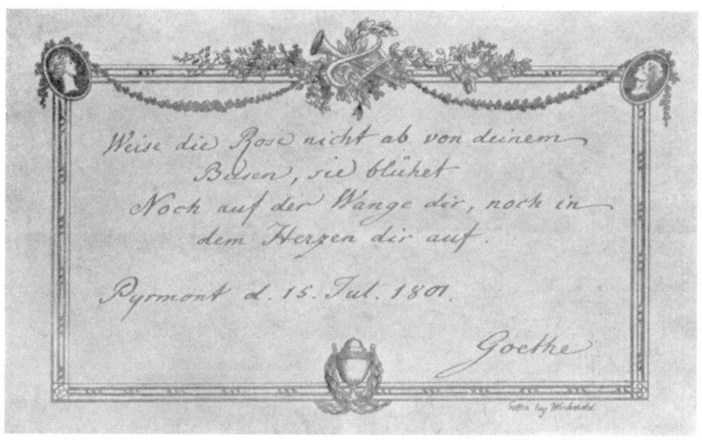

Weise die Rose nicht ab von deinem
Busen, sie blühet
Noch auf der Wange dir, noch in
dem Herzen dir auf.

Pyrmont d. 15. Jul. 1801.

Goethe

Stammbuchblatt Goethes.

Aber die Lehrer! Sie grübeln und fragen die Kollegen. Na, nimm doch Goethe, heißt es dann. Der paßt immer.

Goethes Poesie im Poesiealbum? Selbstverständlich gehört in ein solches Buch Poesie, der Name sagt es doch.
Doch Goethes Poesie findet man selten in den Poesiealben.
Die Lehrer schreiben lieber seine Reflexionen, seine klugen, besinnlichen und ernsthaften Sprüche und Aussagen in diese Büchlein der erwartungsvollen Schüler.
Denn die Sprüche kann man pädagogisch ausbeuten: Goethe wird zum Erzieher!
Da lesen die Kinder beispielsweise:

Jedem redlichen Bemühn
Sei Beharrlichkeit verliehn.

Wer mit dem Leben spielt,
Kommt nie zurecht;
Wer sich nicht selbst befiehlt,
Bleibt immer Knecht.

Jeder Weg zum rechten Zwecke
Ist auch recht in jeder Strecke.

Wen die Dankbarkeit geniert,
Der ist übel dran;
Denke, wer dich erst geführt,
Wer für dich getan!

Glaube nur, du hast viel getan,
Wenn dir Geduld gewöhnest an.

Tu nur das Rechte in deinen Sachen;
Das andre wird sich von selber machen.

Benutze redlich deine Zeit!
Willst was begreifen, suchs nicht weit.

Eigenheiten, die werden schon haften;
Kultiviere deine Eigenschaften.

Dieses schrieb Dir zur Erinnerung an Deine Schulzeit Dein Lehrer...

Aufgeschrieben, damit die Schüler es sich hinter die Ohren schreiben? Da soll man nicht die Lust an Goethe verlieren.

Es gibt zeitgemäßere Mitteilungen von Lehrern an die Schüler:

»Schularbeiten verkürzen die Kindheit« oder »Wer die Schule nicht liebt, ist es nicht immer selber schuld«.
Und wenn es unbedingt Goethe sein muß, sollte man etwas Lustigeres aussuchen:

Wie Kirschen und Beeren behagen,
Mußt du Kinder und Sperlinge fragen.

Daß Glück ihm günstig sei,
Was hilfts dem Stöffel?
Denn regnets Brei,
Fehlt ihm der Löffel.

Die Welt ist nicht aus Brei und Mus geschaffen,
Deswegen haltet euch nicht wie Schlaraffen;
Harte Bissen gibt es zu kauen:
Wir müssen erwürgen oder sie verdauen.

Was ich nicht weiß,
Macht mich nicht heiß.

Auch das kennt man. Man hört es die Leute oft sagen. Es stimmt ja, daß man ruhiger und zufriedener leben kann, wenn man von manchen Ereignissen nichts erfährt.

Dieser Ausspruch ist auch von Goethe.

Edel sei der Mensch,
hilfreich und gut!

Klar, das ist auch von Goethe!

Wer nie sein Brot im Bette aß,
weiß nicht, wie Krümel pieken.

Auch das ist bekannt!

Es ist sicher auch eine kluge Bemerkung, aber nicht von Johann Wolfgang Goethe. Hier handelt es sich wieder um eine dieser Abwandlungen, mit denen sich die Nachwelt, das Publikum der Nachgoethezeit, gegen den Dichter wehren wollte. Tatsächlich lautet der Text aus dem Roman »Wilhelm Meister« folgendermaßen:

DERSELBE

Wer nie sein Brot mit Tränen aß,
Wer nie die kummervollen Nächte
Auf seinem Bette weinend saß.
Der kennt euch nicht, ihr himmlischen Mächte.

Ja, ja! Wer immer strebend sich bemüht...
Goethe hat gute Sprüche gemacht, aber er war kein Sprücheklopfer.

Aber noch immer muß er für alles mögliche herhalten. Er wird gern zitiert. Goethe ist auch werbewirksam. Das nutzt sogar die Mineralwasser-Industrie. Und der Fremdenverkehr, etwa so: Hier hat er einst geschlafen! Kommt in unseren Ort, Touristen, und wandelt auf des Meisters Spur.

Guten Appetit!

Im Hause Textor speiste man gut.
Dort wurde nach dem Kochbuch der Großmutter gekocht, das diese als Dreizehnjährige bekommen hatte. Zwei Jahre später heiratete das Mädchen bereits. Anna Margaretha Justina Lindheimerin aus Wetzlar vermählte sich mit dem Dr. jur. Wolfgang Textor aus Frankfurt und nahm ihr Kochbuch mit in die Ehe. Zu dem Zwecke hatte sie es ja auch erhalten.

Ein bürgerliches Kochbuch kam also zu Ehren.
Nachdem der Enkel zu Ruhm gekommen war, hütete man es wie einen Augapfel. Und heute wird es an einem würdigen Platz aufbewahrt: im Goethe- und Schiller-Archiv zu Weimar.

Der Insel-Verlag aus Frankfurt am Main hat eine Faksimileausgabe herausgegeben, als Lizenzausgabe eines Leipziger Verlages. Da wir die alte deutsche Schrift kaum noch zu lesen verstehen, gehört auch ein Erläuterungsband mit sozusagen übersetzten Rezepten und vielen nützlichen Hinweisen dazu.

Im achtzehnten Jahrhundert verstand man die Kochkunst in den bürgerlichen Häusern sehr gut. Heute wird von Kennern behauptet, in Frankfurt seien die besten Köche diejenigen, die für die Vorstandsmitglieder der Banken kochen; deren Menüs seien wahre Feinschmeckermenüs.
Wir aber wollen uns auch nicht mit Frankfurter Würstchen bescheiden.
Laßt uns einmal Frankfurter Pastetgen versuchen.
Und unseren an Literatur interessierten Gästen nennen wir etwas Besonderes – schmackhaftes Gebäck aus dem Kochbuch der Großmutter des Dichters:
Zimmet Küchlein, Gutte Nurnberger Lebkuchen, schlechte Lebkuchen, Zucker Pretzlein, Mandel tarten, Mandelen-Kräpfflein, Rahm Kuchlein, Heffen Kuchen, Quitten Marcipan oder Aepffel Kräntzlein

Hier nun einige Rezepte
nach dem Kochbuch der Großmutter Textor:

Kleine Frankfurter Pastetgen

Nimb 5/4 Pfd. Rindfleisch, mit Essig gehackt und Saltzt, und Muscatenblumen, 20 lot Marck, ein milchbrötgen in fett fleischbrüh geweicht, nicht ausgedrückt, durch ein Seyhe geschütt und ablauffen lassen, 1 1/2 Citronen dazu gethan, und wann alles zusammen gantz klein gehackt ist, in ein flüssigt Töpffen aufs feuer gestellt, gerührt biß es weiß wird, hernach kalt lassen werden, und in die Formen geschüttet; zum teig nimbt mann ein Pfd. mehl un ein halb Pfd. butter.

Nonnen fürtz

Nimb zwey Eyer nachdem du machen Wildt, undt mach ein teiglein an mit Zucker darnach nimb gerieben lebkuchen, undt ruhr eß ahn mit gesottenen wein, thue Zimmet und Pfeffer darein, undt schlags in den teig, backs in der darten Pfanen, wie unten die Zimmet Kuchlein.

Aepffel Küchlein
schehle äpffel schneid sie gewürffelt kehr sie wohl im mehl um klopffe Eyer schütte sie darüber, kehr sie auch wohl darein umb, mache schmaltz in Einer Dartenpfan heiß thue viel äpffel darein, thue gluth auff den Deckel, unten keine alß neben herumb laß wohl backen.

Guten Appetit!

Wenn wir gar nicht mehr wissen, was wir kochen oder essen sollen, können wir uns zur Abwechslung an dem gütlich tun, was auch dem jungen Goethe schmeckte, der als ältester Enkel und Pate sonntags bei den Großeltern speiste. Davon erzählte er in Dichtung und Wahrheit. Auch zu Neujahr kamen gute Speisen auf den Tisch des Schultheißen Textor:

Der Neujahrstag ward zu jener Zeit durch den allgemeinen Umlauf von persönlichen Glückwünschen für die Stadt sehr belebend... Für uns Kinder war besonders die Festlichkeit im Hause des Großvaters ein höchst erwünschter Genuß... Die Torten, Biskuitkuchen, Marzipane, der süße Wein übte den größten Reiz auf die Kinder aus.

Gedicht-Überschriften und -Anfänge

Zitate aus Goethes Werken

Aus meinem Leben. Dichtung und Wahrheit
Briefwechsel zwischen Schiller und Goethe in den Jahren 1794–1805 (Goldmanns Gelbe TB)
Die Leiden des jungen Werther
Faust
Gedichte
Götz von Berlichingen
Italienische Reise
Campagne in Frankreich
Reineke Fuchs
West-östlicher Divan
Wilhelm Meisters Lehrjahre

Falls nicht anders erwähnt, alles: Hamburger Ausgabe in 14 Bänden, 1976

Verzeichnis der Scherenschnitte und Schattenrisse

Kolumentitel: Goethes Kopf, Lavater zugeschrieben

S. 125 Goethe im Gespräch mit Fritz von Stein, 1783
(gilt als Arbeit Goethes)
S. 142 Schiller, Goethe
S. 147 Paul Konwecka: Mephisto
S. 162 Erbprinz Carl-Friedrich, Ende 1780
S. 173 Goethe im Haus des Stuttgarter Kaufmanns Rapp, 1797

Abbildungen

Marie Marcks, Heidelberg
Originalzeichnungen, *Seite: 48, 50, 53, 62, 78, 79, 83, 88, 89, 92, 96, 151, 152*
Seite 195 aus: Roll' doch das Ding, Blödmann! Weismann Verlag, Frauenbuchverlag, München 1981

Abbildungen aus:
Knapp, Martin: Deutsche Schatten- und Scherenbilder aus drei Jahrhunderten, Der Gelbe Verlag, Dachau,
Seite: 11, 19, 23, 44, 45, 65, 108, 113, 115

Stunden mit Goethe. Hrsg. von Dr. W. Bode, E. S. Mittler, Berlin, 1905, Abbildungen von K. Bauer und H. Tessenow
Seite: 39, 102, 130, 140, 171, 182

Goethe und seine Welt. Hans Wahl (Hrsg.), Leipzig 1932
Seite: 106, 107, 111, 146, 158, 175, 178

Schattenrisse und Scherenschnitte. Hrsg. von Marianne Bernhard, L. Staackmann Verlag, München 1977
Seite: 7, 54, 104, 125, 142, 147

Besitzer und Hersteller der Bildvorlagen

Seite: 147
Artemis Verlag, Zürich
Goethekalender 1968 (S. 89)
Scherenschnitt von Paul Konewka:
Blätter zu Goethes Faust, 1866

Seite: 14, 127
Freies Deutsches Hochstift
Frankfurter Goethe Museum

Seite: 9, 15, 16, 30, 36, 157
Anton-und-Katharina-Kippenberg-Stiftung

Seite: 12, 47, 120, 129, 155, 158, 165, 166, 168, 169
Nationale Forschungs- und Gedenkstätten der klassischen deutschen Literatur in Weimar

Seite: 171
Schiller-Nationalmuseum
Deutsches Literaturarchiv
Marbach

QUELLEN

Texte stellten mit freundlicher Genehmigung zur Verfügung:
Ralf Bülow, Wiesbaden: Öko-Nachtlied, *S. 60*
Franz Ehrenwirth Verlag GmbH u. Co., KG, München: Franz Ringseis »Meine Versln san wias Leem«, 1981, *S. 60*
Kindler Verlag GmbH, München: Wolfgang W. Parth, Geschichten vom Herrn Goethe, 1981, *S. 188, 186*
Die Fackel. (1899 – 1936) 922 Nummern in 37 Jg., 39 Bände. Hrsg. v. Karl Kraus. – Reprint im Kösel-Verlag München ab 1968: »Über allen Räumen ist Ruh...« *S. 59* – »Über allen Wipfeln ist Ruh...« *S. 59*
Wulf Segebrecht, J. W. Goethe »Über allen Gipfeln ist Ruh' «. Texte, Materialien, Kommentare. Reihe »Hanser Literatur-Kommentare« *S. 58*

Weitere Quellen

Johann Peter Eckermann: Gespräche mit Goethe, Auswahl, Goldmann's Gelbe TB, 1962

Wilhelm Bode: Goethe in vertraulichen Briefen seiner Zeitgenossen, Berlin 1918 – 1923